母

三浦綾子

角川文庫 10038

目次

第一章　ふるさと

　四月にしては珍しい、あったかい日ですね、今日(きょう)は。北海道の四月ったら、もっと寒いもんですけどね。増毛(ましけ)のほうの山も、はっきり見えて、海もきれいで、いい日だね。それはそうと、本当にありがたいもんだねえ。わだしはね、再来年は数えで九十になるんですよ。こったら年寄りが、こうしてみんなに、大事に大事にしてもらってねえ。もったいない話です。これもみんな、多喜二があったら死に方ばしたからかも知れないねえ。そうか、この年になるまでの思い出ば聞いて下さるか。何せ、ずいぶんと長い間のことだから、忘れたことやら、うろ覚えのことやら、いろいろあるけど、それでいいのかね、あんたさん。

んだ、わだしはね、秋田の大館(おおだて)の在に生まれてね、そう釈迦内(しゃかない)村っていう田舎でね。山がすぐ目の前まで迫ってくる、小さな小さな部落だった。夜、ふくろうがよく鳴いてね、その声が妙に淋(さび)しくてねえ。

人間って、あんなふうに鳥の声だの、木枯しの音だの聞いて、淋しいっていうことを、覚えるもんなんかね。わだし、ぼろ布団の中で、背中丸めて、ふくろうの声に聞き入っていたもんだ。

んだなあ、四つ五つの頃だった。今でもあの布団の中のあの姿は、どういうわけだか、はっきりと目に浮かんでくるんですよ。

そうそう、目に浮かぶって言えば、わだしの生まれた家の真向かいにね、巡査の駐在所があったっけ。それがあんたさん、今から何年か前、釈迦内村に行ってみた時、まだおんなじ場所に、駐在所があってね、懐かしいのなんのって、ぶったまげてしまったの。

昔、駐在所には、今考えれば五十に近い巡査がいてね、立派なひげを立てていたっけ。でも、いつもにこらにこらしていて、みんなに、「駐在さん、駐在さん」って親しまれていたもんだ。その駐在さんが、どういうわけだか、わだしのこと、時々めんこがってくれて、「おセキ、おセキ」ってね、ほんとにどうしたわけだったもんかね。

わだしが玄関の戸ばがたびし開けて外に出ると、駐在さんがうしろに手を組んで、駐在所の戸口に立っているの。そしてわだしを見ると、

「来い来い、おセキ」

って、手招ぎしてね、わだしが喜んで走って行くとね、頭なでてくれたり、飴玉(あめだま)一つ口

ん中さ入れてくれたりしたもんでした。それが何ともうれしくってねえ。今でも忘れられないんですよ、あの飴玉の味がね。

何せ、わだしらの家ときたら、貧乏でなあ。少しばかりの田んぼの小作ばして、細々と生きていたからねえ、飴玉だの、煎餅だの、親からもらうなんてこと、滅多になかった。とにかく小作だけでは食って行かれんから、おっかさんが自分で打った手打ちそばを、街道を行く人に売っていたの。夕方になると玄関の戸ば開けて、お客さんがぽつらぽつらやって来てね、あれでも、一日十五、六杯は売れたべか。何せ明治の十年代のこと、そば一杯一銭という頃だったから、どれだけ生活の足しになったもんだかねえ。

ああ、当時、米一升七銭ぐらいだったべか。それはともかく、力一杯そば粉練って、ちょんちょんと細く切って、大鍋で茹でて、タレを作って、それで一杯が一銭。それでも売れればありがたかったのね。

はあ、わだしは三つ四つの頃から、体を動かすことが好きでねえ、家の前を大きな箒草を束ねたもので、せっせと掃いたり、お客さんに、

「いらっしゃい」

と、大きな声をかけたり、近所の庄屋さんちの赤ん坊を背中におぶって、子守りをしたりしたもんです。

何せねえ、三つ四つのちんこい子供が、赤ん坊をおんぶするわけだから、下手をすると帯がゆるんで、赤ん坊を引きずりそうになる。そんなわだしに子供をおんぶしなおしてくれたのも、あのひげの駐在さんだった。

だから、わだしはね、おまわりさんというもんは、そりゃあ優しいもんだと、こんまい時から信じこんでいた。ほんとに、日本中どこもここも、優しい親切な駐在さんで一杯なんだと、かなりの年まで思っていました。

それはともかく、わだしは貧乏で、学校に行きたくても行かれんかった。わだしの村は、「釈迦内」なんて、ありがたいお釈迦さんの名前のついている村だどもね、右ば見ても左ば見ても、みんな似たような貧しい家ばかりだった。屋根に柾ば葺いて、その柾を飛ばんように、でっかい石でおさえた家が、街道筋に、ひと握りほど建っていたような村だった。

学校さ行かれない子守りたちは、三人五人とつれ立って、学校の窓の下さ行って、こっそりと先生のお話ば聞いたり、唱歌に耳ば傾けたりしてね。意地悪く赤ん坊が泣き出すと先生によっては、窓から顔ば出して、手を大きく振って、追い立てたもんでした。まるで、野良犬ば追うみたいに、

「あっちさ行けっ、あっちさ行けっ」

てね。それでも、赤ん坊が眠るとね、また足しのばせて、こっそり窓の下に立ってね、

こんまい体をゆすりゆすり、赤ん坊のお守りをしながら、浦島太郎の話だの、桃太郎の話だの聞いたりしたもんだった。

八つ九つになるとねえ、おっかさんが、野良で忙しくしていても、わだし一人で、七輪さ火ば熾こして、ねぎ刻んで、あったかいかけそばを、お客さんに出したもんです。わだしはね、さっきも言ったとおり、生まれつき働くのが好きで、おまけに人が好きでね、そば屋の仕事は何にも苦にならんかった。ま、三、四人も入れば、すぐに一杯になる店とも言えない店だった。こんまいわだしが、かけそばの丼ばお盆に乗せて、そろりそろりと運んで行くと、

「ほれ、駄賃だ」

と、五厘くれる客もいた。それがうれしくってねえ。野良から帰るおっかさんに、その駄賃を上げるのが楽しくてねえ。

楽しいと言えば、お客たちがいろんな歌や、話を聞かせてくれるのも、楽しかったねえ。そん時聞いた歌にこんな歌があった。この歌は、どの客もよくうたったので、いつの間にか、わだしも覚えてしまった。ちょっとうたってみようかねえ。

人がなんぼ貸せといっても貸さないで

蔵の中の米ば腐らせて
　空見て泣きべちょかきながら
　川さ捨てる
ええ気味だ　角地の旦那（だんな）！

妙な歌だと思うべね。秋田弁丸出しの、おかしな歌だと思うべね。けど、どういうわけか、わだし、今になってもこの歌が、ひとりでに口から出ていることがあるの。ふと気がつくとうたっているんですよ。秋田の先祖代々からの歌かねえ。え？　いい歌だ？　どうしてだべ。こんな、人ば恨むような歌、いいことないべと思うけど、釈迦内の子供たちは、みんなこの歌ば子守り歌にして、おがったのかも知れないね。これが貧しい百姓たちの、正直な気持ちだったんだべなあ。

わだしが木村の家から、小林の家に嫁に来たのは、明治十九年の暮れのことでした。その冬一番の寒い日で、馬橇（ばそり）がりんりん鈴を鳴らして走る。雪が顔に刺さる。赤い角巻（かくまき）ば手にしっかり持ってても、手も冷ゃっこい、足も冷ゃっこい。

小林の家まで、二里もあったかねえ。まだ十四の、今で言えば十三の、西も東もわから

んような子供が、嫁に来たわけでねえ。第一、嫁こになるということが、どんなことか、さっぱりわからんかった。

それでも、どこの嫁さんも、きりきり舞いして働いていることだけは、知っていた。とにかくその日は寒くて、うれしいより悲しいより先に、足の冷たさが我慢できんかった。十三の嫁こを乗せた馬橇がね、右に左に揺れてね、誰か男の手に、背中ばしっかり支えられていたもんでした。

なんで昔は、あんな頑是ない子供ば、嫁に出したもんだかねえ。やっぱり貧乏で、口減らしのためだったべか。わだしより貧しい小娘が、街さ身売りさせられていた頃だからねえ。

婿さんはね、二十一で末松つぁんと言った。背の高い、優しい人だった。わだしは馬橇から降りるや否や、

「寒い寒い」

と小林の家に駆けこんで、囲炉裏のそばに、冷たくてしびれそうな両足を、火にあぶったら、婿さんがそれはそれは優しい顔をして、じーっと見ていなさった。

嫁入りといってもね、高島田結うわけじゃなし、角隠しするわけじゃなし、桃割れに、花模様の銘仙の着物着せられてね。そうだ！　赤い牡丹の柄の帯をしめさせられていたっ

け。紫の銘仙の羽織着て、荷物は行李一つに布団だけ……。その行李もなあ、ぎっしり着物が詰まっていたわけじゃなかった。がふらがふらしていたから、普段着の二枚もあったかどうか。それにモンペ、野良着、手甲などが入っていたのね。

それでも、足があったまったところで、三三九度の盃をした。何しろ生まれて初めてお酒ば口に入れたわけだからね、むせてしまって、誰かが背中撫でてくれた。

んだなあ、どんなごちそう出たっけかね。親戚や近所の人が十五、六人も来ていたべか。嫁入りの夜のことは、さっぱり覚えていないの。ただ、家に入るなり、いきなり囲炉裏で足をあぶったことだけは、はっきり覚えていてね、あとで思い出すたびに恥ずかしかったもんです。

でもねえ、小林の人は、誰一人そんな話はしたことがないの。わだしが嫁に来た小林の家には、婿さんの末松つぁん、末松つぁんのお父っつぁんの多吉郎、その後妻のおツネさんがいたけどね。これがまたみんな優しかった。おツネさんは末松つぁんからみると、ママおっかさんだども、ほんとに優しいひとでね、わだしが朝起きると、

「よく眠れたかや」

と聞いてくれたし、寒い日は、

「風邪ひくなや」

って、気い使ってくれてね、顔もきれい、心もきれいな、わだしにはいいお姑さんだった。

こういう人だちだったから、嫁入りの夜、いきなりわだしが囲炉裏に足ばあぶった話など、だあれもしなかった。

ああ、見合だったかって？　さあね、何しろ田舎のことだし、明治も十年代の頃のことだしね、見合も何もあったもんじゃないわね。誰かが、

「どこそこに、ちょうどいい娘っこがいるから、もらったらどうだ」

とか、

「どこそこの息子は親孝行だから、嫁に行ったらどうだ」

のって、誰かが話を持ってくるわけ。誰も格別考えることもなく、嫁取りしていたようなもんね。

わだしの場合、ちっちゃなそば屋だったけんど、わだしが店に出ていて、働き者の評判だけは、二里ほど離れていた小林の家にも、聞こえていたらしい。

とにかく、百姓が嫁っこもらうのは、器量より、働き者が第一の条件でね。体が丈夫で働き者ならよかった。

しかしね、あんたさん、十三でも十四でも、十七でも十八でも、とにかく嫁に行けた者

は、なんぼ辛くても、まだ幸せだった。明治、大正、いや昭和の十年頃まで、東北の貧しい農家に生まれた娘たちは、一人前になるかならんうちに、女郎に叩き売られたもんだ。わだしの友だちも、一人や二人ではなかった。つまり、珍しいことじゃなかったのね。辛いも、いやだも、百姓の娘たちは言われんかったの。だって、家の中には、弟だの、妹だのがごしゃごしゃいてね、その誰もが腹ば空かしているの。

北海道の農家はどうだったか知らんけど、秋田では、四分六分の割合で、地主に米を納めんければならんかった。ろくに食べる米もなくて、辛い思いをしている兄弟たちや両親の姿ば見てたら、身売りするより仕方がないと、納得してしまうのね。

いや、第一、身売りって、どんなことか、誰もよく知らない。

「いい着物着てな、白い米の飯も腹一杯食わしてもらえる、親には金がどっさり入る」

と、周旋人に聞かされると、自分から進んで、身売りした娘も何人もいたっていう話だ。だども、うちの隣のヒサちゃん、駐在の裏のトミちゃんも、売られてから五、六年経って、体悪くして死んだと聞いた。だから、わだしには、今でもね、身売りしたひとの話聞くと、可哀相で可哀相でならなくなるよ。

あれまあ、何だって身売りの話になってしまったんだべか。んだんだ、わだしが小林のうちに嫁に来た話をしてたんだっけね。

何せ、わだし十三だったからね。ママおっかさんの、つまりお姑さんば、

「おっかさん、おっかさん」

って、無邪気になついたもんだった。

わだしはねえ、裁縫所に通ったことなんか、なかったの。何しろね、習いに持って行く反物がないの。だから、何も着物縫うことの知らない嫁さんだった。布団に綿入れることも知らん嫁さんだった。それを教えてくれたのが、このお姑さんだった。

このお姑さんは、わだしが数えで三十二歳の時、七十八で亡くなられた。その思い出す顔は、どれもこれも、目もと口もとが笑っていて、本当に優しいお姑さんだった。

そうそう、

「小林多喜二の家は、貧乏百姓だった」

と、あちこちに書かれているそうだどもね、貧乏になったのは、わだしが嫁に行く二、三年前のことだったらしいのね。小林の家は、下川沿村の川口ってところでね、秋田から青森に行く羽州街道沿いにあったの。んだなあ、農家の五、六十軒もあったべか。まあまあの部落だった。

村の真ん中ば、きれいな米代川が流れていてなあ、街道を行く人やら、馬やら、牛やら、結構賑やかだったもんだ。

わだしの婿さんのお父っつぁんは、多吉郎という名前でね……ああ、そうだ、今言ったばかりだったかね……この人が、平田何とかいう偉い学者の、ま、弟子っていうわけでもないべけど、とにかくそのお陰を受けて、かなり学のあるお父っつぁんだったのね。若い頃は、あちこちの有名な学者ば訪ねて勉強していたとかで、大変な物知りだったそうだ。

このお父っつぁんが、街道を行く人やら馬やら見て、駅亭を始めることに決めたんだって。ああ、駅亭って知ってなさるかね？　昔はあちこちの村に、駅亭っつうもんがあってね、郵便物や荷物を隣村の駅亭から運んで来る。その郵便物や荷物を、また次の駅亭に届けてやるの。そしてね、この駅亭に、旅の人や馬だの泊めてやって……まあそうだね、言ってみれば、旅館の親方みたいなものかねえ。ま、羽振りもよかったらしい。

何せ学はある、金はある、財産はある、村の人たちはみんな、この多吉郎さんに会うと、深々とお辞儀をしていたもんだとか。いや、貧乏になってもお辞儀されていたのね。

とにかく、このお父っつぁんが貧乏になったのは、長男の慶義さんが、なんていうのか、山師根性っていうのか、事業好きっていうのか、相場になんか手を出したらしいんだね。

はい、そうです。この慶義さんが、わだしのつれあい、末松つぁんの兄さんでした。

明治十六年頃から、だんだん借金がかさんで、裁判沙汰になってね、秋田市の裁判所やら、仙台までも出かけて行って、金と時間ばかけて争ったけど、負けたんだって。

そんなこんなで、田畑のほとんどを手離してしまった。立派な母家も、厩も、宿屋も、みんな始末せんければなんないようになってしまった。相場ってもんは、恐ろしいもんだねえ。

さすが慶義さんも、にっちもさっちもいかんくなった。そのどうしようもなくなった家の始末ば、何と弟の末松つぁんに押しつけて、東京に行ってしまったの。言ってみれば、夜逃げっていうことかねえ。この慶義さんには、あとでわだしらもずいぶんとお世話になったわけだけどね、相場などに手さえ出さねば、末松つぁんは苦労しないですんだのね。そう何べんもわだしは思ったの。

慶義さんは、ツルさんというつれあいと、子供たちばつれて、それでも、なんぼか金ば握って東京さ出た。そして、東京では、木版刷とかいう仕事を始めたの。子供向けの絵本だの、大人向きの浮世絵だの売ってたと聞いたけど、やっぱりまだ裁判をやって、金ば取っ返そうと思ったのか、東京の裁判で頑張ったけど、金ばかりかかって、とうとうすってんてんになってしまったんだって。

何でもね、小林の家っていうのは、先祖代々「多治右衛門」といわれていたでっかい地主でね、お父っつぁんの、多吉郎の時代に分家したんだとか。だから、多吉郎父っつぁまにしても、わだしのつれあいの末松つぁんにしても、それまでは貧乏生活は知らなかった

のね。

可哀相に、末松つぁんは、まだ二十(はたち)やそこらで、だんだん家の傾くのを、手も足も出ずにじっと見ていてね、しかも後始末は慶義兄さんからまかされたわけだから、すっかり心臓ば悪くしたの。気の優しい人だから、なんぼ心ば痛めたもんだか。わだしが嫁に行った頃でも、ちょっとの畠仕事にも、すぐに息切れしたり、心臓がどかどかしたり、よく畠の中にしゃがんでいたり、寝ころんでいたりしていたもんです。なんぼ辛かったもんだかと、末松つぁんが死んで何十年も経(た)った今でも、哀れでねえ。

わだしは思うんだけど、慶義さんが相場でかまど引っくり返したにしても、裁判さえやらなければ、あんなに何もかも、すってんてんにならないですんだかも知れないってね。まあ、多吉郎父っつぁまにしたって、気の毒だった。何しろ無一文になってから死んだわけだからね、もし慶義さんが、駅亭の仕事ばまじめに継いでくれていたら、多吉郎父っつぁまだって、長生きしたかも知れんのにね。

ああ、家が傾いてからはね、多吉郎父っつぁまは、嫁取りや葬いのお花を活(い)けたりして、小遣銭(こづかいせん)ば稼いでおられた。はい、父っつぁまは学もあったし、お茶やお花のたしなみも深かった人です。それがねえ、人に頼まれて花ば活けたり、手紙の代筆して小遣銭稼いでいたわけだから、なんぼ淋(さび)しかったもんだか。

でもねえ、時代というのかねえ。あの時代は、村全体がだんだん貧しくなる一方の、やりきれん時代でもあったのね。それまではね、貧しい農家は、みんないろいろ手内職をしていたもんだったの。それがね、東京辺りから、どんどん安い品物が村々に入って来たから、団扇(うちわ)作る内職なんかも、立ち行かんくなってしまった。ちょうどその頃ね、北海道では鰊(にしん)景気に湧(わ)いていた。嘘(うそ)かほんとか、北海道の浜には鰊が押し寄せてきて、こんまい子供でも、手づかみで鰊ば取ったっちゅう話だった。秋田から北海道っていう所に行くには、なんせしょっぱい海を渡って行かねばならない。ずいぶんと遠い所の気持ちがしたども、それでも鰊場さ稼ぎに行けば、何十円か懐(ふところ)に入れて帰って来られる。そう言って男たちは、北海道さわれもわれもと稼ぎに行くようになった。

荒海渡って北海道に行く気になれん者は、近くの山の造材に雇われて、ひと冬家さ帰って来んかった。それでも、無事にひと冬終わればよかったども、時々怪我(けが)する者が出てね。その頃、

「怪我と弁当は手前持ち」

って言ってね、親方は見舞金一銭くれるわけでなし、怪我した者は充分に医者にかかるわけにもいかず、一生足ば引きずって歩くようになったり、杖(つえ)をついても歩けんようにな

ったり、そりゃあ惨めなもんだった。

今考えると、どうしてあんなにひどい扱いを受けたもんだか。怪我した者も、怪我した自分が悪いみたいに、ちんこくなって、医者代くれだの何だのと、言い出す者もなかった。中には恥を忍んで、医者代ば親方の所に借りに行った者も、たまにはあったらしいけど、

「怪我と弁当は手前持ちだ！」

と怒鳴られて帰って来るのがおちでね。今みたいに健康保険があるわけでなし、まあひどい世の中だったもんだった。

あれはまだ、長男の多喜郎の生まれない明治二十六年頃だったと思うがね、青森から大館までの、奥羽本線の工事が始まったの。そして、大館から秋田までの鉄道工事が、川口で始まったらね。何せあの頃で出面賃が一日八十銭というの。貧乏人にとっては、大変な銭こでね。男も女もみんな張り切って日雇いに出たもんだ。

ああ、仕事かね。それがさ、危ない仕事で、トロッコ押しが主な仕事だったの。のたのたトロッコば走らせるわけにいかんべさ。トロッコに土ば一杯積んで、線路の上を走って行く。そのトロッコが山を削った曲がり角を、勢いつけて走って行く。その時、急ブレーキをかけてね、うまくカーブば曲がって行かねばならん。これがむずかしかった。下手を

するとトロッコが脱線して、真っさかさまにふり落とされた人もいた。

しかし、わだしも末松つぁんも、よくやったもんだと思う。でもね、二人でおんなじトロッコに乗ってね、わだしだって、急カーブ切るのうまくてね……若かったんだねえ。何せ一日八十銭もらえる。それがうれしかった。末松つぁんと一緒に働くのがうれしかった。あの、風を切ってトロッコに乗るのが、わだしの気性に合ってたんかねえ。過ぎ去れば、あんな命懸けのことでも、懐かしいもんだねえ。だけど、懐かしがっているだけで、いいんかねえ。

とにかくね、かけそば一杯が二銭としなかった時代だよ。一銭八厘とか、一銭二厘とかね。そんなぐらいの頃だからね、一日八十銭は大きかった。かけそばを四十人以上にごっつぉうできるわけだからね。ほんとにありがたい出面賃だった。

ま、さっきも言ったようにさ、坂ばころがるように、貧乏になっていく真っ最中の小林の家に、なんで嫁に来たもんだかね。わだしが十三だの十四だのっちゅう子供だったから、何の考えもなく、お父っつぁんやおっかさんの言うとおり、馬橇に揺られて嫁入りしたんだねえ。もしも十七、八になっていたら、小林の家の噂を聞いて、そんなに借金のある家なら、こりゃ大変だと、ちょっと考えたかも知れないね。

だけどね、あんた、わだしは貧乏の苦労こそしたけど、末松つぁんと一緒になったこと

は、ほんとに幸せだったと思うよ。あの頃の農家は、みんな貧乏してたからね。小林の家だけが貧乏なわけではなかった。中には、貧乏しながら酒呑んで暴れる亭主だって、いくらもいた。けど末松つぁんは、多吉郎父っつぁまに似て、本が好きでね、小説が好きでね。雨降って、トロッコ押しにも出られん時は、寝そべってよく小説本を読んでいた。

わだしは字も読めんから、本なんか手にも取って見なかったけど、多吉郎父っつぁまも、末松つぁんも、わだしが字も読めないのを、馬鹿にしたことは一度もない。

「セキはよく働く」

「セキは素直だ」

「いい嫁だ、いい嫁だ」

なんてほめてくれてね。わだしが縫物なんぞしてると、「小公子」なんぞという小説ば読んでくれたりしたものだった。

それがね、末松つぁんはお芝居が好きだとかで、女のせりふの所は女の声ば出して、年寄りのせりふの所は、爺さま声で読んでくれたの。だから、おもしろくておもしろくて、今でもあの末松つぁんの声が忘れられんの。そのせいかね、わだしは今まで、どのくらい息子や娘たちに、本ば読んで聞かせてもらったもんだか。特にこのチマは、借りて来た本、借りて来た本、わだしに読んで聞かせるの。まだ女学校の時からね。

あれま、慶義あんつぁまの話からそれてしまって……。

慶義あんつぁまは、その後どうにもならなくなって、東京からまっすぐ北海道の開拓農に志願して、行ってしまったの。何せ、一か八かの相場の好きな人だから、あっちに相談したり、こっちに相談したりなどしないのね。度胸がいいっていうか……。

その開墾に入ったところが、小樽（おたる）の外れの潮見台という所だった。その頃の小樽ときたらあんた、北海道一景気のいい所でね。でっかい外国の船が、何隻（せき）も出たり入ったりしてたんだと。

この慶義あんつぁまの長男坊は、幸蔵といってね。パン屋に住みこみに入った。わだしの住む川口には、パン屋なんてものはなかったから、パンなんてもの、見たこともなかった。団子でもない、饅頭（まんじゅう）でもない、そのパンてものが、想像もつかんかった。ま、言ってみればハイカラな食べものだったわけね。

幸蔵はね、ほんとはね、最初靴屋に勤めたんだって。この靴だって、わだしら秋田の田舎に住む百姓たちには、馴染（なじ）みのないもんでね。そうだべさ、わだしらの履（は）くものは、藁（わら）草履（ぞうり）か藁靴がふつうで、下駄だって贅沢（ぜいたく）なもんだったからね。

まあそれはともかく、幸蔵は初めは靴屋に住みこんだわけだけど、どうしてだか、パン屋に入ってしまった。

そのわけはあとでわかったんだども……とにかくある時、小樽の慶義あんつぁまから手紙が来た。末松つぁんがランプの芯(しん)を太くして、その長い手紙ば読んでいたが、

「何なに？　なんだって⁉」

と、声に出して驚いた。末松つぁんは、ふだん大きな声など出さない人だから、わだしは胸をどきんとさせて、

「末松つぁん、何が起こったの？　慶義あんつぁまが病気にでもなったのかね」

って、モンペに継ぎを当てていた手をとめて、思わず聞いてみた。

末松つぁんは黙って頭を横にふって、おっかない顔をしたまま、手紙を先に先にと読んでいく。

(何か一大事が起こったにちがいない。なんだべ？　なんだべ？)

と、わだしは心配でね、息を殺して、手紙の読み終わるのを待ってたの。

とうとう読み終わった末松つぁんは、ふーっと太い吐息ば洩(も)らしてね、そしてわだしに言った。

「いいか、おセキ、驚くなよ。幸蔵の野郎がヤソになったんだとよ」

ヤソと聞いて、わだしもぶったまげた。

「な、なんだって⁉　ヤソになったって？　それはまたごっぺ返したね」

次の言葉がつづかんかった。あんたねえ、これ、明治三十四年頃の話だからね、ヤソと聞いたら、驚くの驚かんの騒ぎじゃない。明治の初めには、ヤソば信じたら、信じた当人はむろんのこと、家族の者まで磔刑（はりつけ）になったたっちゅう話だからね。ヤソと聞いただけで、みんなぶるぶるおっかながったもんだ。そんな毛唐の神さんなんぞ信じて、ご先祖さまに申し訳が立つもんだか、ご先祖さまの祟（たた）りがないもんだか、わだしは今にも自分たちが、ぐるぐる縄で縛られて、引っぱられて行くような気がして、

「ヤソなんて、そったらもんが小林の家から出たなんて、世間さまに恥ずかしくないべか」

と、末松つぁんに言ってみた。すると何か考えていた末松つぁんが、わだしの顔を見て言った。

「いや、何も恥ずかしいことはなかべ。どこの神さん信じようと、どこの仏さん信じようと、もはや文明開化の世の中だ。ヤソのご禁制も明治六年で解けたことだし、ま、心配すっことはなかんべ。けどなあ、ヤソになったとはなあ。北海道って、ぶったまげた所だなあ」

その話ば聞いて、わだしも少しは胸を撫（な）でおろしたが、その後近所の人にも、幸蔵がヤソになった話はせんかった。

末松つぁんが、手紙をかいつまんで教えてくれたところによると、幸蔵が初めに雇われた靴屋の主人も、あとで勤めたパン屋の主人もヤソだった。多分、二人は友だちだったにちがいない。

このパン屋は、札幌に大きな本店があって、小樽やあちこちに支店もたくさん持っていたんだと。それで、人手が足りんくて困っていた。靴屋はそれほど忙しくはない。その靴屋にいる幸蔵に、パン屋の主人が目をつけた。

ああ、この幸蔵という息子はね、おやじの慶義あんつぁまとは、ちっとも似ていなかった。正反対だった。慶義あんつぁまは、相場だとか勝負事は大好きで、体を動かして働くことは好かんかった。

ところが幸蔵は、くるくると働く正直一方な若者でね、靴屋の主人にも可愛がられ、パン屋の主人にも可愛がられて、ヤソ仲間に入ってしまったのね。

わだしは話を聞いて、

「やれ、災難だったなあ」

と、しみじみ言った。

それはそうと、パンを作るという仕事は、そんなに何年もかからんでも、一人前になれるんだね。パン屋は石原っちゅう苗字だったが、この石原から、慶義あんつぁまと幸蔵は

パン屋の支店を譲ってもらうことになった。

ええ、やっぱり慶義あんつぁまは、開拓農なんて、そんな実直な仕事は向かんかったのね。まあ人間、向き不向きがあるから、仕方ないどもね。

幸蔵がパン屋に入った次の年、慶義あんつぁまは、自分の家に「小林三星堂」という看板ば上げた。さてね、何で三星なんぞと名前つけたんだか、何でも、ほら、空に三つ揃った星が出るべさ。あの星、何つう星だったっけね。なに？　オリオン？　あ、そうそう、オリオン、あの星が好きだからって、慶義あんつぁまが言っていたっけ。

とにかく「小林三星堂」の看板ば上げた。そして、何とかぼつぼつ商売になっていったらしいども、その二年後の明治三十七年、とんでもない災難が起きた。

明治三十七年といえば、日露戦争が始まった年だが、小樽に大火事が起こってね、稲穂町から色内町、それから手宮町と、ま、小樽の盛り場という盛り場は、全部焼けたんだって。

何でも、二千五百軒も焼けたんだと。何でまたこんな大火事になったもんだかね。火元は稲穂町。この稲穂町に慶義あんつぁまの店もあったから、もう一番先にぺろりと焼けた。あん時はね、やっぱりわだしは、仏罰っちゅうもんがあるんだと思ったね。だって、そうだべさ。慶義あんつぁまって人は、よくよく災難に遭う人だと、あんたも思わんかね。

代々続いていた小林の家は潰す、息子は何とヤソになる、おまけに火元のそばで大火事に遭う。わだし、慶義あんつぁまは可哀相だが、もうこれまでだと思ったね。折角新しい店ば出して、パン屋の看板上げて、ようやく何とかなりそうになったと聞いたばっかりなのに、それからどれほどもしないうちに、丸焼けになってしまった。わざわざ北海道まで渡って行って、慶義あんつぁまって、何んちゅう気の毒な方だと、わだしは一晩泣いて泣いて、泣き明かしたもんだった。

末松つぁんも、ぽろっと涙をこぼされて、それからしばらく手を組んで、じーっと何か考えていなさったが、

「おセキ、そだに泣くでねえ。昔から禍福はあざなえる縄の如しと言ってな、人生ってもんは、禍いと幸福が交り合っているもんだ。慶義あんつぁまも、不幸つづきばかりと、決めたもんでもあるめえ。人生、雨の日もありゃあ、天気の日もあるべえ」

わだしがあんまり泣くんで、末松つぁんはそうおだやかに慰めてくれたったどもね。けど、あんたさん、あの辺の秋田の百姓共は、生まれた時から死ぬまで貧乏つづきだべさ。そして子供が死んだり、親が怪我したり、出稼ぎに行ったまま父親が帰って来なかったり、今に何かいいことあるべえ、いいことあるべえと思って暮らしているうちに、なあんにもいいことなくて死んでいった者ばかりでないの。それでも、「禍福はあざなえる縄の如し」

なのかねえ。福なんていうものには、一度も会わないで死んじまう人がほとんどだったもの。

それはそうと、慶義あんつぁまって人は、大した男だった。あれこそ、失敗も大きいが成功も大きいっつう人間だね。

慶義あんつぁまはね、あんた、大火事には遭ったものの、火事になんぞ負けている人ではなかった。それこそ火事に遭った次の日から、小さなパン工場ば、潮見台のほうに建て始めたっちゅうから、おったまげた話だわね。

そしてね、慶義あんつぁまは、小樽中のどんなパン屋よりも先に、パンの製造ば始めたんだと。さあ、人間、そこが勝負どころなんだね。ほかのパン屋が、大火事でどうするべかと、泣いたり、ぐちったりしているうちに、三星堂ひとりだけが、せっせせっせと、パンを作って売り始めた。その上ね、その何カ月後には、もう潮見台から町の真ん中の新富町に店ば移してね、あんた、がっちりした大きな看板ば上げたんだと。

相場をする人間って、胆っ玉が大きいのかね。慶義あんつぁまって人は、そんなに胆っ玉が大きかったのね。とにかく、呆れたり、喜んだりしているうちに、年が明けて明治三十八年になった。

日露戦争は、明治三十七年八年の役と言ってね。日本はでっかいロシヤと戦争している

最中だった。でも、昔の戦争は、昭和の戦争とちがってね、飛行機なんぞ飛んで来んかったから、空襲なんぞなかった。敵なんぞ、影も形もなくてね。むろん原子爆弾もなかった。日本の国が戦争してることなんぞ、考えねえ人がざらにいたもんだ。

　ま、そんな時代に、日本の海軍が樺太ば狙って、小樽の海に二十も三十も軍艦を置いていた。もうその頃には、ほかのパン屋も立ち直っていたが、何としても立ち上がりの早かった三星堂には追っつくわけはないの。慶義あんつぁまは、御用商人の仲間に加わって、十カ月という短い間に、たくさんの軍艦に、何十万円分もの食パンば売ったんだと。それで、三星堂は小樽で誰一人知らぬ者のないパン屋になって、大繁昌したってことね。あれこそほんとうに、禍いを福となすっていうんだべかね。

　さあ、こうなると、慶義あんつぁまも鼻が高い。何しろ、生まれ故郷の川口には、顔向けならんほどの、落ちぶれた状態だったから、帰りたくても帰れんかった。だが、これで一代築いたわけだから、つれあいのツルさんが、先ず毎年故郷に帰って来るようになった。ちりめんの着物ば着て、藤色の羽織ば着て、土産物ばたくさん持って帰って来ると、村中の若い者も年寄りも、男も女もツルさんの話ば聞きに来る。ツルさんは、タバコすぱすぱ吸いながら、

「小樽にはなあ、電気っちゅうもんがあって、昼より明るくなるんだよ」

だの、
「三星堂のパン焼きがまはね、電気仕掛けでひとりでパンが焼けてくるの」
なんて言って聞かせてくれるもんだから、みんな、北海道って、そだにええ所かと行って見たくなる。

その後慶義あんつぁまも村に帰って来て、みんなに五十銭宛(ずつ)も小遣(こづか)いばくれて、そりゃあもうありがたがられてねえ。慶義あんつぁまの得意げな顔ったら……見ていてわだしらもうれしくてねえ。そん時慶義あんつぁまは、わだしと末松つぁんにこんなこと言ったの。
「お前たちには、今まで大変な苦労かけたから、どうだ、小樽に渡らねえか。末松の心臓じゃ、百姓仕事はもう無理だべ。小樽だばパン売るだけでも、結構暮らしていかれっからなあ。何せ北海道じゃ、日給だって三円もくれるんだぞ」

わだしら、心が動いたわね。日給三円と聞いて、わだしらより先に北海道に出かけた若者もいた。よくはわかんないども、北海道の景気ばよくして、給料を釣り上げれば、人が集まるって、お上(かみ)が考えたことだと、ずーっと後で聞いたこともあったども、ま、とにかく秋田にいたわだしらには、北海道は夢のような所だと、誰もが思ったんでないべか。

わだしらも心は動いたどもね、けど、人間なかなか住み馴(な)れた故郷は離れられないもんね。自分の生まれ育った土地ってものは、こりゃ何とも愛(いと)しいもんだ。なんぼ貧乏だとい

ったところで、飢え死にするほどでもない。気心のわかった親戚や、こんまい時からの友だちは、こりゃあお金に替えられん宝だもんね。慶義あんつぁまの家族以外は、誰一人知る人もいない北海道に、そう簡単には行く気になれんのよね。今考えると、小樽に来なければ、多喜二ももっとちがった一生ば送ったかも知れんどもね。

ところがね、明治四十年、ああ、この年一月四日にツギが生まれたがね、戦争も終わって、

「日本勝った、日本勝った、ロシヤ負けた」

と、日本中の浮かれ気分も、やや落ちついた頃だった。法事で川口に帰って来た慶義あんつぁまが、わだしらの長男多喜郎ば小樽につれて行きたい、と言い出した。前々から、慶義あんつぁまは多喜郎ば気に入って、

「いや、頭がいい」

だの、

「多喜郎は気立てがいい」

だの、

「小学校終わったら、小樽の中学に上げてやる」

だのと、何度も手紙に書いて来た。初めは、百姓の子に学問は要らんと、わだしは思っ

ていたども、末松つぁんが、

「いやいや、これからは百姓にも学問は要る。行けるもんなら、おれだってこれから中学に行きたいぐらいのもんだ」

と、こう考えこんでしまわれた。

この姿にわだし心ば打たれた。そうか、末松つぁんもなんぼか勉強したかったんだ。なんぼか学校に行きたかったんだ。つくづくそう思ったのね。

多喜郎は学校で一番出来る子だった。思い切って、慶義あんつぁまの家に預けるべか。いやいや、まだ小学校出たばかりの多喜郎ば一人、しょっぱい海渡らせて、遠い小樽にやってしまうのは、なんぼなんでも可哀相だ。わが子を手放すなんて、そったらことごめんだ。

とは言っても、どっちが多喜郎の一生にいいことになるんだか、と、こう心が右さ行ったり左さ行ったり、ああ思ったり、こう思ったりしたども、慶義あんつぁまは、自分の失敗で弟一家に苦労させたのを、なんぼか気の毒に思っていたもんだか、

「これからの世の中は、学校にやらねば、人間いつまでも貧乏暮らしから、抜けられん」

と、無理矢理わだしらば口説き落として、つれていくことにしてしまった。

こうして多喜郎は小樽に来ることになったわけだども、あの秋田の川口を出る時の多喜

郎の顔はわだしには忘れることはできないの。あん時ねえ、多喜郎は家を出る時、末松つぁんの顔やら、わだしの顔やら、チマの顔、多喜二の顔を順々に見てね、大きな涙をぽろぽろとこぼしてねえ。虫が知らせたんか、細い首をうなだれて、慶義あんつぁまのあとについて、とぼとぼ歩いて行った。あったかい五月のことなのに、何か冬の出来事みたいに、体が冷たくなってくるような思い出なのね。

ああ、多喜郎も絵が好きでね。学校の廊下に、多喜郎の絵がよく貼られたもんだって、何度も聞いたことがある。

そんでもねえ、多喜郎が小樽からよこした手紙は、思ったより元気でね。

「伯父さんのパン屋は、工場に三十人も人を使っていて、店にも店員がたくさんいて、とっても繁昌しています。毎日、おれもパンを食べています。ふだんの日でも米の飯を食べます。それも、腹一杯食べます。お父っつぁんや、おっかさんや、多喜二やチマにも、食べさせたいとなんぼか思います。

伯父さんも伯母さんも、幸蔵兄さんも親切です。でも、おれは、お父っつぁん、おっかさんのそばが一番いい」

と、書いてあったりしてね、ほんとはどんなに淋しかったもんだか。

それから四ヵ月も経ったある日のこと……ほんとになあ、あんなことって、あっていい

もんだべか。多喜郎が急性腹膜炎で、危篤だという電報が入った。雨のしとしと降る陰気な日でね。

電報みて、びっくりこいた。わだしらには、急性の腹膜がどんな病気だかわかんねかったども、危篤だと聞いて、親戚の家さ金借りに走った。小樽まで行く汽車賃など、なかったからね。

とにかく、わだしと末松つぁんは無我夢中で小樽に駆けつけた。汽車ん中でも走って行きたい思いだった。

多喜郎は腹をぱんぱんに腫らして、肩で息ばしてた。可哀相に、親元離れて、一人淋しく病院の畳の上に寝てたかと思うと、涙も鼻もごっちゃに出た。生きた心地がしなかった。何としてでも命だけは助けてやりたいと、村の神さんから仏さん、地蔵さんからお不動さん、それこそ知ってる限りの神さん仏さんの名ば呼んで、必死になって祈った。だけども、祈りは聞かれんかった。多喜郎の傍さ駆けつけて一週間目、多喜郎は、

「寒い、寒い」

と言ってね、それでもわだしと父っつぁまの顔を見て、少し笑ったような顔をしたども……そのまま死んでしまった。

足から血が引くようだという言葉があるども、あれは本当だね。死んだ多喜郎の顔ば見

たら、足がざわざわとして、力が脱けた。

「多喜郎！　多喜郎！」

と、ゆすったって、叫んだって生き返らん。多喜郎のだんだん冷たくなっていく体ば抱きしめて、わだしも死んでいくような気持ちだった。

ぼんやりしていた末松つぁんが、不意に叫ぶような大声を上げて泣いた。あんな悲しい目に遭ったのは、わだしには生まれて初めてだった。

はあ、忘れもしない、明治四十年の十月五日のことでした。人間、生きるって、大変なことだねえ。それよりもっとひどい死に方をした多喜二のことを思うと……生きるって辛いもんだねえ……。

わだしら夫婦は、多喜郎の骨箱ば抱えて、川口さ帰って行った。もう末松つぁんもわだしも、話す気力さえなくなった。飯食う元気さえなくなった。

そのうちに末松つぁんも、長い間の心労に加えて、多喜郎の悲しい死に遭って、すっかり半病人になってしまった。

ええ、末松つぁんって、そりゃ、優しい人だったからねえ。

破産ですっかり心臓を弱め、百姓仕事で身体をすっかりいためた、多喜郎でがっくりやられ、もうすっかり参ってしまったのね。

あん時、もし多喜郎が死なんかったら、わだしら、小樽には渡る気はなかったかも知れん。んだども、あの病院の部屋で死んだ多喜郎の姿が目に浮かぶと、何だかまだ多喜郎が一人淋しく、あの病院のあの部屋で、死にそうになっているような気がしてね。可哀相で可哀相でならんかったの。

わだしは多喜郎のそばにいるつもりで、半病人をつれて、子供たちと、一家を引きつれて、小樽さ移り住むことに決心したの。慶義あんつぁまも、

「小樽さ来い、小樽さ来い。パンこ売ってでも、小樽だば生きていける」

なんていうもんだから、わだしも本気になったわけね。ま、一度小樽の賑わいば見てきたこともある。慶義あんつぁまの繁昌ぶりを、ちらっとでも見て来たっちゅうことも、わだしば決心させたかも知れないね。

わだしは、前にも言ったとおり、嫁入り前から、僅かな客だども相手にして、そば屋したこともある。嫁っこになってからも、毎年、豆だの、南瓜だの、人参だの、野菜籠ば背負って、

「ええ――南瓜」

「ええ――大根」

などと呼ばわりながら、大館の町さよく野菜売りに行ったこともある。人に物売って、

銭こもらうことには馴れていたのね。

　だから、小樽さ行って、慶義あんつぁまのところからパンば卸してもらえば、何とか親子が食っていくくらいのことは、できるべとこうタカを括ったんだがね。ま、そんな呑気さが、このわだしの性分でもあったのね。

　それにさ、末松つぁんの体が弱ったから、わだしもふんばるべと思ったんだわね。

　おや？　このお茶はうまいね。牡丹餅も思ったよりうまくできたよ。あんたさん、わだしの作った牡丹餅だ。一つ食ってみてけっさいよう。多喜二はねえ、牡丹餅が好きでねえ。一ぺんに五つも六つも、よく食べたもんだ。……多喜郎も、多喜二も死んだ。二人共、一体どこさ行ったもんだか……。人間死んだら、なかなか戻って来ないもんだねえ。牧師さんは、天国の話をしてくれるども、多喜二は天国に入れてもらえたんだべか、なんて、よく思ったもんだ。

　あれっ、話はどこまでだったかねえ……。

　あ、そうだったね。多喜郎の死んだ小樽の町さ引っ越して来る話だったっけね。

　わだしら夫婦と、チマと多喜二とツギの五人で村を出たのは、多喜郎が死んで三ヵ月と経たない、その年の暮れだった。

あんたさん、あん時も悲しかったよ。辛かったよ。ふるさとを離れるってね。大地にへばりついてる体ば、引っぱがすみたいな思いだった。生まれて育って、嫁こになって、子供ば五人生んで、一生懸命畠ば耕して、貧乏だって何だったたって、懐かしいふるさとだ。辛かったなあ、あん時は。親戚や近所の人たちが、

「蝦夷は寒いからなあ、大事にせえや。あんまり寒かったら、我慢せんで帰って来いや」

ってねえ、みんな口々に言ってくれてねえ。馬橇が見えなくなるまで、みんな小雪の中を、手をふってくれたっけ。その姿が、次第に影絵のようになって、雪の中に消えてった。そして、大館の駅から汽車に乗ってさ。あん時の馬橇の鈴が、りんりんと音を立ててね……その音の淋しかったこと、一生忘れられんね。

えっ？　何で年の暮れに引っ越したかって？　何で春になってから来なかったたって？

なるほど、そう思うべなあ。そりゃねえ、あんた、わだしらだって、あったかい春になるまで、故郷ば離れたくなかったども、わだしら百姓だべし、春になって土の顔ば見たら、土がめんこくて、畠ば起こしたくなるもんね。何も耕やさないなんて、畠ば置いてきぼりにするようで、そんな冷たいこと、とてもできないもんね。雪かぶっているうちに、そっと逃げて来たってわけなのね。それに、思い立ったら吉日っていうじゃないの。一冬過ぎたら、決心も鈍るべしね、そんなわけですよ。ええ、あれは明治四十年の十二月下旬だった。

第二章　小樽の空

静かな田舎から小樽に来たら、ま、喧嘩場みたいにやかましい所だと思ったすね。とりわけ正月の賑やかなこと、うるさいことったら、ほんとに驚いた。

正月の二日は大売出しでね。馬橇に酒だの醤油だの、味噌だの砂糖だの、どっさり積み上げて、真新しい紺の半纏着たあんちゃんたちが、石油缶叩いて、

「やーれ、やれ、やれ」

「やーれ、やれ、やれ」

と、街中ば囃して走るの。それがね、馬の三頭や五頭や十頭じゃない。あっちの問屋から二頭、こっちの問屋から三頭と、みんな負けずに、朝の薄暗いうちから、初荷卸しのお得意さん廻りだ。三星の慶義あんつぁまの店にも、砂糖だの粉だの、どっさどっさと卸して行った。

わだしねえ、あの威勢のいい掛け声聞いて、涙こぼれてならんかった。それはそうだべし。三ヵ月前の十月五日、多喜郎はわずか十二や十三で、この見も知らん小樽で死んだば

っかりだもんね。もし多喜郎が、この街で元気でおがれば、あの若い衆たちみたいに、元気一杯に生きていけたんだと思ってね、見るもの聞くもの、涙の種でね。

そうです。小樽に来て、初めのひと月ほどは、新富町の三星の家に、親子五人で世話になったの。慶義あんつぁまも、わだしらに、

「小樽さ来い、小樽さ来い」

って、言ってくれたわけだから、むろん厄介者扱いにはしなかった。けどねえ、「人のかまどの飯には棘（とげ）がある」って、昔の人はよく言ったもんだ。別段棘があるわけではないども、親切にされればされたで、窮屈なもんだしね。枕（まくら）に頭をつけて、多喜郎を思って、思う存分泣くわけにもいかない。人さまの枕を汚してはならんと、手拭（てぬぐ）いを目に当てて泣く。どんなに貧しくても、自分の家は楽なもんだ。

ああ、布団かね？　わだしら人の家に持って行けるような布団などなかった。何しろ、思い立って故里（くに）を出たわけだしね。

「布団など要らね。着のみ着のままで来い」

という慶義あんつぁまの言葉でね、あんなぼろ布団だったども、欲しいという親戚（しんせき）や近所の人にやって来たの。

ま、そんなこんなで、一カ月ほどは新富の家に厄介になった。

二月も末の、少しあったかくなった頃、わだしらは、新富町から若竹町に移ったの。若竹町には慶義あんつぁまが、隠居所にするとかで建てたという、三間ほどの小さな家があった。はあ、慶義あんつぁまたちはすっかり成功していてね、小樽で三星パン屋といえば、誰知らぬ者はなかった。何十人も人ば雇っていてね、慶義あんつぁまと一緒に街を歩くと、ぺこぺこ頭下げる人が、何人もいた。

ああ、そうか、この話はもうしてたったかも知れんね。とにかく羽ぶりがいいもんだから、隠居所なんて、そんな齢でもないのに、建てていたわけだどもね。わだしらが引っ越しする時、慶義あんつぁまは、

「末松、若竹は今は田舎だが、何年もせんうちに、必ず賑やかになる所だ。おれの目には狂いはない」

と、言って聞かせてくれた。が、行ってみてぶったまげたわね。小樽湾の海がすぐそこにあってね、風の吹く日には、波が飛んで来るような所に家があった。

しかも、すぐ目の前は小高い山で、おっかないような岩が、ぐいっとせり出している。元はもう少し家のあった漁師町だったらしいども、わだしらが行った時には、漁師の家は何軒もなかった。その上、その辺に何やら工事が始まっていて、タコ部屋があったりしてね。毎日のように発破で崖ば崩したり、棒頭の怒鳴る声がしたり、何だか腹の底が寒くな

るような所だった。静かな田舎に住んでいたわだしらにとって、待っていた小樽の家は、ま、こんな所でした。末松つぁんは、

「おセキ、殺伐な所だなあ。殺伐な所だなあ」

って、日に何べんもいうもんだから、わだしも殺伐っていう言葉を、いつの間にか覚えたもんだった。

そんでも、こんな所で、とにかくパン屋をすることになった。三間の家の一間を店に改造して、パンだの、煎餅だの、大福餅だの、ガラス戸棚の中に並べてね。近所に人家は少ないども、それでも労働者の飯場があった。タコ部屋の飯場もあった。ここの工事は築港の工事で、工事が終われば、立派な港ができることになっていた。

そうだねえ、工事は確か十二年もかかったけど、ここでもトロッコを使っていたわね。そのトロッコを見ると、末松つぁんとトロッコに乗って働いた川口での暮らしを思い出してね、むやみに懐かしかったけ。

いっこうに賑やかにならんと思っていたのは、初めの一年くらいのもんで、何年か経って気づいた時には、あんたさん、目の前に突き出ていた崖は、発破で崩されていてね、段々畠のように整備されてねえ、そこさ水産学校が見る間に建って、パンば買いに来る生徒さんが増えてねえ。

ああ、わだしらの家のまわりにも、古ぼけた漁師の家しかなかったのに、風呂屋ができた、下駄屋ができた、鍛冶屋ができた。「今に賑やかになる」って、慶義あんつぁまが言ったことは、嘘ではなかった。そして、すぐそばには築港駅もあった。

このわだしらの店は、土埃の立つ道路に沿って建っていたわけだけど、家のうしろには汽車が走って、まるで駅の構内に建ってるみたいなもんだった。わだしらの家は、汽車が通るたびに、がたがた、がたがた、よく揺れたもんだった。その頃(明治四十二年)、多喜二の弟三吾が生まれ、チマ、多喜二、ツギ、三吾と家族は六人になった。

こんな話も、あんな話も、もうとっくに多喜二が本に書いてるっちゅうども、わだしが多喜二に話して聞かせたことを、多喜二が書いていることもあるので、あんたさん、おもしろくもないべども、まあ我慢して聞いてもらうべか。

わだしがあの若竹町に住んで、一番度胆返したことは、なんたって、かんたって、タコ部屋のことだわねえ。昼間は汽車が通る、トロッコが走る、棒頭が怒鳴る。その騒がしさ、夜になってやっと静まったと思ったら、タコ部屋のほうから、

「ギャーッ!」

とか、

「助けてくれーっ！」

とか、獣の呻くような声が聞こえたりしてきてねえ、それが布団さ入ってると、よく聞こえるの。それでも初めのうちは、

「何だべな」

「あれ何だべな」

と思っていたわけ。そのうち、店に来る客たちの話で、それはタコ部屋の棒頭が、タコたちの背中に、焼火箸ば押しつけたり、薪ざっぽで、殴りつけたりして、折檻しているっていうでないの。何でそんなことしなきゃならないんだべかと思ったども、労働があんまり辛くて、タコ部屋ば逃げ出す者がいるんだって。それで、焼火箸だの、薪ざっぽで、惨い折檻するんだって近所の人や、店に来る人たちがわだしに言って聞かせたの。

ああ、タコって、知らんべねえ、あんたさんたちは。金ば前借して、労働する人夫たちのこと、タコって言ったのね。どうしてタコっていうかわかんないども、海の蛸のように、自分で自分の足ば食うような生活するから、タコっていうんだと、聞いたどもね。

それはともかく、わだしはタコたちが可哀相で可哀相で。タコだって、親もあれば、子供もあるべし。労働が辛くて逃げたからって、折檻までしなくたっていいべに。ひどい時は砂ば掘って生き埋めにするって聞いたどもね。わだしらがトロッコに乗って労働したこ

とあるせいか、タコたちもわだしらの仲間に思われてね、何とかして助けてやりたいもんだと思ってね、末松つぁんに、

「警察に知らせたらどうだべ」

って言ったら、末松つぁんは、

「無駄だべ」

と、ぽつりと言っただけ。

「何で警察さ、いじめないようにって言うのが無駄なの？」

って、わだしが怒って聞くと、末松つぁんは言った。

「なあ、おセキ。お前もいつかわかるべ。とにかく、子供たちが大きくなった頃には、少しは世の中の仕組みも変わるべ」

ってねえ、あとは黙って何か考えてるの。わだしは何かわからんども、すごくおっかない気持ちになった。わだしは、警察は殴られてるもんを助けるもんだと思ってた。いじめられてるもんを、助け出してくれるもんだと思ってた。

わだしの生まれた家の向かいにいた駐在さんは、飴だの、煎餅だの、わだしによくくれたもんだ。貧乏なわだしらば、ほんとに可愛がってくれたもんだ。それが警察っつうもんだと信じて育ったから、末松つぁんの言うことは、どうも腑に落ちない。腑に落ちないど

も、末松つぁんという人は、考えなしにものを言う人じゃない。でたらめを言う人じゃない。本をいろいろ読んでいた人だからね。だからわだしは、何かわからんども、わだしにわからんことがこの世には隠されているんだなあと、わだしはわだしなりに思った。

けどなあ、こんな話も忘れられん。ある時発破(ハッパ)の爆発で、一ぺんに崖崩(がけくず)れが起きて、タコがたくさん死んだんだって。そしたら、その死んだタコたちは、一つ穴にぼんごぼんごと投げ入れられて、棒っこの一本も立ててもらえず、あの若竹の崖の下に眠っている。そんな話聞いたら、どうにもタコが哀れでならない。出稼ぎはたいてい東北の貧乏百姓だべし。向こうで、いいだけ貧乏で苦労して、北海道さ行ったら、一日三円の出面賃(でめんちん)がもらえるって、喜んでやって来て、悪い周旋屋にだまされて、タコに売りとばされて……。

ねえ、あんたさん、売られたタコが悪いんだべか。故里(くに)に帰れば、父親もいるべし、母親もいるべし、女房、きょうだいもいるべし、みんながいつ銭(ぜん)こ持って帰って来るかと、首長くして待っていたって、いつまで経(た)っても帰って来ねえ。まさか、一つ穴に、とうに葬られていたなんて、誰が思うべ。ねえ、可哀相でならね。わだしは、タコが毎日棒頭に怒鳴られながら、首ば垂れて働きに行く姿を見ただけでも、なんぼ涙がこぼれたもんだか。

あれは大正何年頃だったべか。五、六年頃だったと思うけどね。多喜二が十かそこらの子供だったからね。暗ぁい晩だった。店の戸締まりをする時、星が三つ四つ雲間から出て

いたのを、どういうわけだか覚えてるの。

ああ、春も終わりの頃だった。戸締まりして、寝るべと思っていたら、店の戸が何かごとごと音がする。寝巻に着替えようとしていた末松つぁんが、客かと思って店の戸を開けてみたらば、若い男が両手を合わせて、わしらば拝んだ。

「助けてください」

その言葉でタコとすぐにわかった。

末松つぁんは毎日、土工現場にパンば背負って売りに行っていたから、向こうは末松つぁんの顔ばよく知っている。誰が見ても末松つぁんの顔はやさしい顔だ。タコはきっと、この人なら助けてくれるべと、前々から思っていたのかねえ。

タコの拝む姿を、末松つぁんと並んでわだしも見たけど、とにかくすぐに家ん中さ入れてやらねばと思った。むろんそん時はびっくりして、一瞬、どうしたもんかと、末松つぁんとわだしは顔を見合わせたども、逃げたタコが見つかった時、どんな目に遭うか何べんも聞いていたから、外に突き出すわけにもいかない。

「まずは上がれ！」

と引っ張りこんで、家の押入れさ隠してやった。わだしたちの布団はもう敷いてあったから、押入れにはタコの一人や二人かくまってやる余裕があった。

灯りを点けていて、怪しまれるとならないから、すぐに灯りば消した。わだしも末松つぁんも、一応寝巻に着替えて床の中さ入ったども、おっかなくておっかなくて、胸がドキンドキン小鼓打つみたいに、大きく動悸するの。何せ棒頭共の乱暴なことは何度も見てるし、逃げたタコを助けた者ば、棒っこでいいだけ殴ったたっちゅう話も聞いている。まさか、こんな近い家に飛びこむはずはあるまいと、気いつかんでくれれば……と、がたがたふるえながら、わだしは神さま仏さまに祈っていた。

それから十分も経った頃、あっちらこっちらと、男共の騒ぐ声がしたかと思ったら、いきなりわだしらの店の戸ば、ドンドンとぶっ壊れるほどに叩き始めた。

歯の根も合わんとは、あのことだね。カチカチカチカチ、歯が音を立てるの。けどね、末松つぁんは優しく見えても男だった。店に出て行って、

「何だねえ、騒がしい」

と、いつもの声で返事をしながら、しんばり棒を外した。二、三人、どっと店ん中さ入った。顔見知りの棒頭が先頭にいた。目が吊り上がっていて、鬼のような顔だった。ええ、わだしも末松つぁんの後から、ふるえながらついて行ったのね。その鬼みたいなのが、

「父っつぁん、誰か逃げて来んかったかね？」

と、奥のほうをのぞきこんだ。

「まさか、目と鼻の先に逃げこむ間抜けもあるめえさ」

末松つぁんが、呆れたように言った。わだしは、あん時ほど末松つぁんが頼もしく思われたことはなかった。だってねえ、顔つきがちっとも険しくならんのね。ちっともびくびくしておらんのね。

「それもそうだな」

棒頭が納得すると、末松つぁんはわだしの顔みて、こう言ったのね。

「ああ！　おセキ、したらばさっきの走ってった足音、あれタコだったんだべか」

わだしは大きくうなずいた。胸がまたドキドキした。棒頭が殺気立って、

「何⁉　足音？　それ、どっちさ行った？」

と声ば、うわずらせた。わだしは左のほうば指さして、

「はい、あっちのほうさ、駆けて行ったようだったね、ね、あんた」

と、大嘘ついた。

「おおう！　あっちか⁉　じゃ、朝里のほうだな」

疑う様子もなく、棒頭は手下の者と一緒になってすっ飛んで行った。朝里のほうばなんぼ追っかけたって、追いつくわけないわね。うちの押入れの中にいるんだもの。

けど、どうして人間、あんなに簡単に人の言葉ば信ずるもんだか。押し問答してると、

遠くさ逃げられっちまうと思って、すっ飛んで行ったもんだかね。

さあ、それから、すぐにタコに末松つぁんのふだん着ば着せて、売れ残りのパンば風呂敷に包み、背中に負わせてやった。店の銭こも幾らか持たせてやってね。

あの晩、一晩中、無事に逃げてくれろと、まんじりともしなかったが、うまく逃げてくれたらしい。その夜、タコ部屋では騒ぎもなかったし、折檻された様子もなかったからね。

今思い出しても、総毛立つ思いがする。ああいう嘘は、ついたっていいんだかって、いつか近藤先生に聞いたらば、

「人の命を助ける嘘はいいことだ。聖書にも、逃げて来た敵の兵隊ばかくまった水商売の女の話がある。聖書に書かれるくらい、いいことだ」

って、言ってくださったっけ。ああ、近藤先生って、近藤治義という牧師さんのことなの。

それはそうと、わだしはね、パン屋の店が好きでね。パン屋といっても、豆腐も油揚も色紙も、お弾きも、ビー玉も、鉛筆も、雑記帳も売ってたことがあるの。タコ部屋でない飯場から、人夫たちもやって来る。それが、餅だのパンだの、あがりがまちに腰かけたり、立ったまま食べたりするの。わだしが番茶ば淹れてやるの。するとね、

「小母さんの淹れたお茶はうめえ。おふくろが淹れてくれた味とおなしだ」

なんて言ってね。わだしは、

「あんたの故里(くに)はどこだの？」

とか、

「おっかさんはなんぼになるね？」

とか、

「子供は何人いるの？」

なんてね、いろいろ聞くと、首に巻いた手拭(てぬぐ)いで涙ふきふき、いろいろ身の上話語って聞かせてくれたりしてね。そんな話聞くと、もう銭(ぜん)こなんて要らんような気持ちになってね。

人の話聞いてやることって、いいことなんだよね。みんな、大変な暮らしばしてるんだわ。わだしもかえって励まされてねえ。こっちの苦労話をすることもあった。

パン屋って言えば、水産学校の生徒さんたちのことも忘れられんね。昼休みだの、休み時間になると、若竹町の坂ば、生徒たちがわらわら一目散に店に飛びこんで来るの。

「腹空いた、腹空いた」

って。勝手に箱に銭(ぜん)こば投げ入れてね。みんないがくり頭でね、どの顔みてもめんこく

て、赤の他人と思えなくてね、ボタンが取れていればボタンばつけてやったり、あんまり頭の毛が伸びていれば、バリカン持ち出して刈ってやったりしたもんだ。みんな、「小母さん」「小母さん」ってなついてね。客が混んでくると手助けしてくれる生徒さんもいた。

こんまい店では、こんまい店の楽しさがあるっつうことね。

でも、しょっちゅう混むわけじゃない。客が切れる時は、店の見える茶の間で、裁縫なんぞしたり、炊事仕事をしたりして、店番ばした。夕食のあとは、これまた大変だった。一応客の少なくなる時間だから、子供らがわだしに、聞かせたい話があって、さあ大変なの。多喜二も幸もチマも、みんな一斉に口を聞くの。一人が、

「今日、学校の先生は、廊下で辷ってころんだの」

などと話し出せば、他の者が、

「おれは、自分の顔を絵に描いて、うまいうまいとほめられて、黒板に貼られた」

だの、

「わたしは読本を読むのがうまいから、今度学芸会に出してやるって、先生に言われた」

だの、とにかく友だちと遊んだことから、町で見た犬の喧嘩の果てまで、わだしに聞かせるわけ。

一人の話が長くなると、

「あんね、母さん。母さんったら」

と、ほかの者が口を出す。するとまたほかの者が、

「おれのほうが先だぞ、ね、母さん」

と割って入る。お互いに語ったり、笑ったり、その賑（にぎ）やかなこと。そうなるともう店に来た客に気づかず、わだしもまた、「うん、うん」とその話を聞くわけ。時にはなんぼ叫んでもたまりかねた客が、店と茶の間の障子ば開けて、怒ることもある。時にはなんぼ叫んでも出て行かないので、餅（もち）だのパンだの失敬して行く客もいて、気がついた子供たちが、

「母さん、パン盗られた」

「母さん、餅も盗られた」

と言う。で、わだしが言うの。

「盗んだじゃないべ。なんぼか腹空かしてたんだべ」

そう言うとね、子供たちも、

「そうだなあ、そうかも知れんな。大声で喋（しゃべ）ってて悪かったなあ」

と、みんな素直に反省するの。

でも次の日またお喋りするわけ。あの頃は楽しかったねえ。あのお喋りは、近所でも有名になった。中でも一番ふざけん坊の多喜二が、あんな死に方をするとも知らんでね、わ

だしは、この子供らが、ぞっくり大きくなったら、今月はチマの家、今月は三吾の家、今月は多喜二の家と、布団の皮を剝いで、洗い張りしてやったり、打ち直して綿を入れてやったりしてやるベーって、夢みてたの。

ねえ、あんたさん、わだしの願いは、欲張りな夢だったべか、無理な夢だったべか。そんなつもりはなかったども、あんな小っちゃな夢でも叶えられんかった。

ところで、多喜二って子はね、わだしから言えば、威張ってるみたいだども、ほんとに心根の優しい子だった。学校で、「自分の夢」っていう題で、綴り方ば書けって言われたことがあった。そん時、多喜二は何て書いたと思うかね。

「うちの母さんの手は、いつもひびがきれて、痛そうです。着物も年がら年中、おんなじ着物を着ています。水産学校の校長先生の奥さんは、茶色の着物だの、紫色の着物だの、あずき色の着物だの、取りかえて着ています。そして町さ行く時、時々人力車に乗って行きます。ぼくは、ぼくの母さんにも、よい着物を着せて、小樽の町中、人力車に乗せてやりたいです。これがぼくの夢です」

といったようなことを書いたのね。とにかく誰にでも、

「母さんば人力車に乗せたい」

「母さんば人力車に乗せてやりたい」

って言うもんだから、これ有名な話になったったね。ああそう、あんたさんも誰かに聞かされたか。

優しいって言えば、多喜二が小樽の拓銀に勤めて、初めての給料もらった時のことだけどね。弟の三吾に、中古のバイオリンを買って来たの。何でも給料の半分もしたって聞いたけどね……。

ああ三吾かね。これまた優しい子で、こんまい時から唱歌だの、ハーモニカが好きだったの。でも、うちじゃあ、ハーモニカも買ってやれんかった。三吾はなあんもねだらんで、人からハーモニカば借りて、いきなり「空に囀る鳥の声」の歌を吹いてね、みんなばぶったまげさせたことがあったの。

兄の多喜二は、慶義あんつぁまのお陰で、商業学校にも、小樽高商にもやってもらえたんだども、三吾は小学校しか出んかった。はあ、三吾だって、商業学校さだって中学校さだって行ける頭だったども、何せ末松つぁんがパンやら餅を、飯場に背負って行くだけでも大変な体だったから、自分から行きたいとは言えんかったのね。わだしもやってやりたいとは思ったども、口に出したところで、うちのかまどが許さんかったから、黙っていた。

昔は、長男と次男の扱いが、それだけちがったのね。慶義あんつぁまも、三吾のことま

では面倒みてやるとは言わんかった。だども、多喜二としては、おとなしく引っこんでいる三吾が、どんなにか愛しかったんだべ。ある時、三吾が、水産学校の先生が弾いているバイオリンの音を聞いた。あんまりきれいな音で、ぶったまげた。そして、弾いている人の手を、一生懸命見てたんだべな。あんまり一生懸命見ているんで、その先生が憐れに思ったんだべな。ちょっくらさわらせてやろうと、

「ちょっと弾いてみるか」

と貸してくれた。一緒にいた多喜二は、(バイオリンなんか持たされても、弾けるわけはない)そう思って見ていたんだって。

ところが、何ちゅうことかね、「サクラ　サクラ」を、一曲弾いてしまった。むろん、少しはつっかかったども、とにかく弾けた。そこでそこにいた者たちがぶったまげて、大騒ぎになった。

「天才だ」

「凄い天才だ」

という噂が、ぱっとひろがった。

末松つぁんがその話ば聞いて、何か思案していた。そしてある日古道具屋に行ってみた。

中古なら安いべと思ったが、末松つぁんには高くて手が出んかった。そのことを、末松つぁんは、そっとわだしに聞かせてくれたの。わだしは何げなく多喜二に、

「お父っつぁんは、バイオリン買いに、古道具屋に行ったんだと。だども高くて買えんかったんだと」

って、言って聞かせた。多喜二はそん時、

「ふーん」

と言ったきりだったから、心にとめていたとは思えんかった。

ところが多喜二は、初給料をもらったその日、バイオリンをかついで帰って来た。みんな飛び上がって喜んだ。三吾はバイオリンを抱きしめて、頬ずりをして喜んだ。それば見て末松つぁんは、肉の落ちた肩をふるわせて泣いていたっけ。

あん時のうれしかったこと。

(ああ、生きていてよかった)

わだしは、しみじみと思った。わだしらは貧乏かも知れん。亭主の体は弱いかも知れん。人から見れば、何の値もない一家かも知れん。しかし人間生きていれば、こんなうれしい目にも遇える。そんな喜びはそのあとにも何度もあった。むろん、それを打ち破るあの多喜二の辛い目にも遭ったども……。とにかく、毎日明るく楽しく暮らした家だった。

そうそう、あんたさん、多喜二はバイオリンを買って来ただけではない。ある学校の音楽の先生に頼んで、三吾のバイオリンの先生になってくれるように、ちゃんと頼んで来てくれた。それを聞いた時うれしくてね。三吾が初めてバイオリンを習いに行く日は、わだしは赤飯を炊いて祝ってやった。だってさ、それは三吾の入学式の日だもんね。三吾が、ぴょこぴょこ踊るように、バイオリンかついで行く姿を、末松つぁんとわだしは、いつまでも見送っていたっけ。

さあ、それからというもの、三吾は毎日毎日、熱心にバイオリンの稽古に励んだの。でもね、あんたさん、わだしらの家は、店のほかは、たったの二間だったもんね。三吾がバイオリンを弾く傍で、多喜二は本を読んだり、小説を書いたりしていた。バイオリンと小説書くのが同じ部屋では、小説書くほうはやりきれたもんでないべし。

わだしはそう思ったどもね、多喜二はただの一回だって、「うるさい」なんて言わんかった。三吾がつっかかり、つっかかり、同じ所を弾いていても、多喜二は眉根も寄せない。多喜二はそんな優しい兄貴だった。多喜二って子は、どのきょうだいにも、荒々しい言葉は使わん子だった。何でも静かに言って聞かせる子だった。

けどね、三吾がね、

「母さん、おれ、たった一度だけあんちゃんに叱られた」

と、わだしに言って聞かせたことがあった。それはね、三吾のバイオリンがかなり上手になった頃の話だけどね。いつものとおり、茶の間で三吾がバイオリンの練習をしていた。そこへ多喜二が外から帰って来た。その多喜二が、

「三吾、そこのところ、そんな音色でいいのか？」

って、聞き咎めたんだって、三吾は明るい子で、

「あ、いいんだ、いいんだ。本番の時はちゃんといい音色を出すから」

って答えたんだって。すると、怒ったことのない多喜二が顔色を変えて怒った。今まで聞いたこともない大声で、

「三吾！　練習で出せない音色が、どうして本番の時に出せる!?　そんな態度なら、バイオリンをやめてしまえ！」

って、怒鳴ったんだって。怒鳴られて三吾はふるえ上がった。そして、人が聞いていようがいまいが、バイオリンを手にしたなら、本当に真剣に弾かなければ、音楽に対して失礼なのだと、身に沁みて思ったっていうの。

ああ、この三吾ですか？　それがねえ、お陰さまで、東京交響楽団とかで、第一バイオリンを勤めるようになりました。いいお嫁さんをもらってね、今も東京に住んでいますの。

え？　多喜二もバイオリンを弾いたのかって？　いやいや多喜二は弾かんかった。多喜

二は小説を読むのと、書くのと、そしてそれに、絵を描くのが大好きだった。

多喜二が死んでから、いろんな人が多喜二の描いた絵ば見て、

「絵の道に進んでも、大家になれたね」

って、感心してくれたっけ。それはそうと、三吾が言ってたことがある。

「母さん、あんちゃんは、一体どこでバイオリンを聞き分ける耳になったもんだべ。ちょっといい音を出すと、『三吾、今日は調子がいいではないか』ってほめてくれた。もし、あんちゃんがバイオリンを習ったら、おれよりも、なんぼかうまくなったべな」

って ね。わだしの息子ながら、多喜二は何やってもうまかったのね。

第三章　巣立ち

そうそう、大事なこと言い忘れたども、末松つぁんはね、多喜二が高商卒業した年の、八月二日に死んだ。大正十三年の八月二日だった。脱腸の手術で死んだのね。多喜二が拓銀に入って、月給七十円もらって、ようやくわが家も楽になるかと思った頃、末松つぁんは死んだ。わだしが五十二の年だから、末松つぁんは六十だった。何にもいい目らしい、いい目にも遇(あ)わないで……。ま、多喜二が初月給で三吾に中古のバイオリンを買って来たのが、末松つぁんにとっても、一番うれしいことだったかも知れないね。六十年生きて、一番うれしいことが、中古でもバイオリンを買ったこととはね……。

末松つぁんが死んだあと、店は三吾がやることになった。三吾はちょっとの間、よその小さな店で、住込みで働いていたことがあるどもね。

三吾がパン屋をするようになった時、多喜二は毎朝銀行さ行く前に、餅(もち)をひと臼搗(うすつ)いて出かけたもんだ。ちょうどひと臼搗き終わった頃、汽車の汽笛が、ぼーっと聞こえてきてね。そして間もなく、ごーっと築港駅さ汽車が入って来るの。何せ、わだしの家と、駅と

は目と鼻の先にあるからね。汽車が入ってから多喜二は、大急ぎで汗ば拭いて、ワイシャツば着て、背広に手を通して、家を飛び出して行くの。多喜二が構内ば走って汽車に飛び乗ると、汽車は小樽のほうさ、シュッシュッと出て行ったもんだった。

ええ？　なんで多喜二が餅ば搗いたって？　誰でもそう思うわね。多喜二は小樽の拓銀さ勤めていた。銀行で一日一杯働くんだから、出がけに餅など搗くことなど要らねべと、誰もが思うわね。

でもね、うちはパンやら大福餅を売っていたからね、毎朝ひと臼餅ば搗かねば、間に合わないの。三吾の店だし、三吾のほうが若いし、本当なら三吾が餅を搗けばいいわけだべし。でも、多喜二は三吾に、その餅搗きをさせたくなかったのね。なぜかといったら、三吾の手はバイオリンを弾く手だ、重い杵など持って餅ば搗いたりしたら勘が狂う。そしたら、三吾は決していいバイオリンの弾き手にはなれないべってね。多喜二はそんな弟思いの兄貴だった。

本当にねえ、自分だって毎日銀行さ行って、一日一杯働いて帰ってくると、飯もそこそこに小説書いて、夜中までごそごそ起きているというのに……。餅搗くために、それだけ早く起きねばならないわけだからねえ。私は、わが子ながら偉い奴だと、なんぼ思ったかわからん。

それにねえ、あんたさん、多喜二はただの一度だって、三吾に、「そのバイオリンを買ってやったのは誰だ？　このおれさまだぞ」とか「バイオリンの先生を捜してやったのはおれだぞ」とか、「餅を搗いてもらったのをありがたく思え」などとはいわんのね。人に恩着せるようなことは一度も言わんかった。

あれまあ、自分の息子の自慢話して、おかしく思うべさ、でも笑わんでくださいよ。何せ八十八歳のお婆さんの語ることだからね。

んだ、んだ。さっき絵の話して、思い出したこと、一つ二つ話しておくべか。

多喜二はね、小説書くのに疲れると、時々画用紙に絵ば描いていた。コップに入れた庭の花だの、窓から見える小樽の海だの、ちゃーんと絵の具ばつけて、うまーく描いたもんだ。そして、「なあ母さん、花でも海でも、空でもな、この世のものは、みんな生きたがっている。その生きたがっている者を殺すことは、一番悪いことだ。虫でもトンボでも、犬でも人でも、みんな生きたがっている。絵を描いていると、それがよくわかる。人間の手では、なかなか命のあるもんは、描けんのねえ」

そんなことを言い言いしたりしてね。わだしはねえ、多喜二は絵を描きながらでも、いろんなことを考えているんだなあって、だんだん気がつくようになってね。

多喜二が黙って絵ば描いていると、一体何描いているんだべって、次第に心配になったもんだ。

しかしねえ。今考えてみると、小説書くっていったって、立派な大きな机があるわけじゃなし、ちんこい机を、それこそ古道具屋から買って来て、部屋の隅っこさおいて、一生懸命書いていたもんだ。その傍で三吾がバイオリンば弾いていた。あ、これは、さっき言ったっけかね。

はあ？　わだしらに子供が何人いたかって？　あれ、まだ教えて上げてなかったかね。順々に言うとね。

明治二十八年に長男の多喜郎が生まれた。この多喜郎は小樽で死んだわね。

明治三十二年にヤエっちゅう長女が生まれてすぐ死んだ。

その次の年の明治三十三年に、ここにいるこの器量よしのチマが生まれてね。

多喜二が生まれたのは、それから三年後の明治三十六年だった。んだ、多喜二はわだしらの四人目の子だった。

明治四十年にツギが生まれた。

三吾は明治四十二年の十二月十二日の生まれでね。これは覚えやすい誕生日だべさ。

そして末っ子の幸が、大正五年に生まれたっちゅうわけさ。

貧乏だ、貧乏だと言っても、何とか女の子らも女学校さ行ってね。

つまり、七人生まれて、そのうち、ヤエと、多喜郎と多喜二の三人が死んだわけ。ま、死んだ話はあとまわしにして、みんな学校に行けたのも、慶義あんつぁまのお陰と、ありがたく思っているの。多喜二など、商業学校のあと、高商までやってもらったしね。これがわだしと末松つぁんの二人では、逆立ちしたって、上の学校さなんか、上げられなかったからね。

まあ三吾だけは、上の学校さ行かなかったども、東京交響楽団の第一バイオリンとやらで、これはなかなか、なれんもんなんだってね。ありがたいことだ。

それからね、慶義あんつぁまに学校出してもらったとはいってもね、多喜二は商業学校の五年間、三星さ住みこんで、ほかの店員とおなじように、朝早くから夜遅くまで、それ店の掃除だ、それ便所の掃除だ、やれパンを詰める仕事だ、ほれ配達だと、くるくると、よく働いたわけ。その上、学校の勉強もしなければなんないべし、本も読みたいべし、絵も描きたいべし、多喜二もそりゃあゆるくなかったべ。

ある時は、遅くまで絵を描いていてね、慶義伯父に呼びつけられて、

「絵など描くのはやめろ」

と言われた。この時ばかりは多喜二も、珍しくむっとしたと言っていたがね。わだしは慶義あんつぁまに、とにかく感謝しているの。

そりゃあねえ、慶義あんつぁまは金持ちだよ。末松つぁんの兄さまだよ。先祖伝来の田畑やら家をなくしたのは慶義あんつぁまだよ。だから少しぐらい助けてもらって、ありがたく思うなって、人は思うべけど、慶義あんつぁまだって、失敗したくて失敗したわけではなし、ずいぶんと苦しい思いをしたんだべし、わだしは、子供たちがそれぞれ世話になったこと、ただありがたいと思っている。

とは言っても人間だねえ。何もうちの多喜二ば、店員同様にこき使わんでもいいのになんて、つい思ってしまったりしてね。もし働かずに、ただ学資をもらっていたら、その金はお恵みだもんね。人間滅多に、ただで金なんか出してもらってはならんわね。たとえ年がいかなくても、働けるだけ働いて報いなければ、そりゃ乞食というもんだ。

考えてみるとね、小樽に住んでいる者でも、みんながみんな、商業学校だの、中学校だの、女学校だのに進むわけではないのね。なんぼか中学に行きたいとか、女学校に行きたいと思った子供もいたのね。みんな諦めて働きに出たのね。それば思うと、やっぱりありがたいと、つくづく思うんですよ。

チマもね、女学校に行きながらよく働いた。秋になるとね、近所の豆炒り工場が忙しく

なるの。チマは学校から戻ると、家にも上がらず、鞄ば茶の間に投げこんで、手拭い持って、近所の工場さ走って行ったの。ね、チマ。その頃近所の人々は、

「豆炒り工場さ通ってるんだとさ」

って、変な顔して笑ったもんだ。その頃、人々はね、女の一番下の仕事は、体ば売る仕事で、その一段上が、豆炒り工場の仕事だと言っていたんだねえ。

チマは工場の帰りがけに、道でどこかの男に変なこと言われて、涙ば一杯ためて、帰って来たこともあったっけね。

その豆炒り工場の季節が終わると、チマはね、そのまたすぐ近くの、火山灰会社の裏さ行くの。ああ、この辺りの山は全部火山灰でできてるんだって。小樽はね、北、南、西と、三方が火山灰の丘に囲まれていて、東だけがパーッと海に向かってひらけている。その海から砂が飛んでくるのね、小樽は昔、小樽内って呼ばれたんだってさ。小樽内っていうのは、「砂川」っていう意味だってね。

それはそれとして、チマは冬になると、日本手拭いば頭さかぶって、火山灰会社の捨てた石炭の燃え粕から、コークスば選って拾って来た。このコークスが火力があるの。冬には助かるの。

でもね、なんぼ日本手拭いをきりっとかぶってコークス拾いに行っても、燃え殻の灰で

髪の毛が真っ白になって、婆さまのような髪になるの。けど、このチマは気丈な娘でね、泣きごとひとつ言ったことはなかった。

そんなチマを、弟の多喜二も三吾も、妹の幸もツギも、みんな大好きでね、

「ネーちゃんと一緒に、コークス拾いに行く」

って、古バケツ持って、よくチマについて行ったもんだ。そしてみんなで、コークスを山ほど、南京袋に入れて背負ってくるの。ああ、コークスは軽いから、子供でも持てたのね。みんな頭を白くして、

「母さん、これ見て」

と、うれしそうに見せてくれてね。貧乏は辛いなんて、誰一人そったらこと言わんかった。

そうそう、この間ね、多喜二の友だちの島田正策さんが、仏壇ばお詣りに来て、いろいろ話して行ってくれたの。そん時島田さんは、初めて多喜二に会った時のことを聞かせてくれた。

ああ、島田さんはね、多喜二の友だちで、多喜二より一年上だった。多喜二が商業学校の入学受験に行った日、島田さんは学校へ行く坂の所で、多喜二ば初めて見たんだって。

商業学校の試験受ける生徒はたくさんいたども、どうして多喜二を覚えていたかと言えばね、多喜二とその友だち二人とが、三人でふざけて叩いたり、追っかけたり、笑ったりして、地獄坂って呼ばれたあの坂を登って来たんだって。そん中でも、多喜二が一番大声でふざけて笑って、あんまり明るくて、妙に心に残っていたんだって。

それがね、四月になって入学して来たのは、その三人のうち多喜二ひとりだったんだってさ。島田さんは、

「何しろ多喜二さんの明るいことといったら……明るいことといったら……」

ってね、島田さんは何べんもそう言いながら涙声になってしまった。全くうちの子供らときたら、朝から晩まで笑ってばかりいる賑やかな子供ばかりだった。

この島田さんが商業学校二年生、多喜二が一年生で、どういうわけか仲よくなってね。島田さんは多喜二と仲よくなったばっかりに、戦時中何度牢屋にぶちこまれたもんだか。それでも、多喜二があんな死に方したあとでも、わだしらにしょっちゅう親切にしてくれたもんね。

でもねえ、そんなに明るい多喜二だったけど、貧乏が口惜しくて、腹の底まで応えた話を書いてあるよと、このチマがわだしに読んでくれた本がある。それを読んでもらって、わだしもうびっくらこいた。もしかしたら、あんたらも多喜二の本で読んで、知ってるか

も知れないどもね。

多喜二はそん時、小学生だったそうだ。小学校はね、潮見台学校といったけど、誰も「潮見台小学校」なんて呼ぶ者はいなかった。みんなね、「オンボロ小学校」って言っていたの。何しろ、潮見台小学校の子供らが通う街並みときたら、ごちゃごちゃしていて、ろくな身なりの子供はいなかった。

その当時は、たいていの子供は着物で、服なんぞ着ている子は、ほとんどいない。その着物が若布（わかめ）みたいなボロ着物、そして前垂れをしめて、生徒たちは学校に通っていた。いくら貧乏人の子供の学校だからと言ったって、学校に校章もなければ、校旗もなかったなんて、ひどい話だよね。ほかの小学校には、何だかんだと言ったって、校旗だって、校章だってちゃんとあったわけだからね。

その頃小樽に小学校が幾つあったか知らんけど、毎年五月の末近くになると、小樽中の小学校が合同運動会をした。花園公園のグランドでやることに、毎年決まっていた。何せね、小樽中の小学校の生徒が集まるわけだからね。見に来る人も大変な数だ。みんな手に茣蓙（ござ）を持ったり、重箱ぶら下げたり、その重箱には巻寿司（まきずし）やら、いなり寿司やら、茹（ゆ）で卵やらぎっしり詰めて、お祭りのような騒ぎだった。いや、お祭りよりも大変な人出だった。

わだしはね、その運動会を、多喜二たちも大喜びで待っていたのだとばかり、思っていた。けどね、多喜二たちには、運動会は涙の出るほど辛(つら)いもんだったんだねえ。

わだしは店があって、そのお祭り騒ぎの運動会にも出かけることはできなかったども、多喜二の書いたものによると、その運動会には、どこの学校の生徒も、パリッとした運動服を着ていたんだって。学校学校で、それぞれ揃(そろ)いの運動服を着ていたから、遠くから見ても、それは見事なもんだったろうね。

ところが潮見台小学校の生徒たちは、運動服を新調してもらう余裕のある子など、数えるほどしかいなかった。それはそうだべさ、「オンボロ小学校」と言われる潮見台小学校のことだ。一年中いつもいつもボロを下げて学校さ行っていたわけだから、親に運動服など買ってもらえるはずはない。

とにかく、学校別にいろいろな小学校の生徒がグランドに行進して行く。どこの小学校が行進して行っても、親たちは大きな拍手を送ってくれる。黄色い襟(えり)の服、紫の襟の服、赤い襟の服と、学校ごとにちがう色がかたまって動く。そのたびに拍手が起こるのに、多喜二ら潮見台小学校の子供らが、並んでグランドを行進すると、どんなに手を大きくふっても、足を高く上げても、手を叩いてくれる人など、誰もありゃしない。

それどころか、「ワーッ」と笑う声さえする。そう、親たちだって恥ずかしいから、見

物にも行かない。ほかの学校には、嵐のような拍手が起こるのに、潮見台小学校には「オンボロ小学校」「オンボロ小学校」と笑う声がする。

多喜二は、親が悲しむべと思ってか、親のわだしに一度もそんなこと言わんかった。いや、チマも他の子供らも、そんなことわだしに聞かせたことはなかった。ほかの学校の生徒たちがね、みんなで声を揃えてね、

「潮見学校、貧乏学校、

運動服ないとて

ベソかいたーっ」

と、囃し立てたもんだって。言ってみれば、潮見台の生徒たちは、わざわざ貧乏さらしに運動会さ行ったようなもんだ。ほかの学校に笑われるために、運動会に出たようなもんだ。そりゃなんぼ口惜しかったもんだか。

けど子供たちは、一度だって親のわだしらに愚痴ったことないの。愚痴ったところで、運動服など作ってもらえるはずはないと、諦めていたんだね。親の財布ん中ば知っていて、親ばいたわってくれていたんだね。運動会のたびにそんな辛い思いばして、多喜二もチマも学校ば卒業したわけなのね。今思うと、おにぎりを腰に、元気よく運動会さ出かけて行った姿が憐れでならね。多喜二がもの書きたくなった口惜しさが、わだしの胸にも沁みて

くる……。

服で思い出したけど、あれは多喜二がなんぼの時だったかね。小学校に入った年か、入る前の年かね。多喜二とチマとツギが並んで撮った写真があるの。多喜二はちゃんと羽織袴を着てね、チマも黒紋付に袴、ツギも長袖に真っ白いエプロンつけて、うれしそうに写ってるの。あの写真見たら、いいとこの坊っちゃん嬢ちゃんと思うべけど……実はね、全くの馬子にも衣装で、近くの水産学校の校長先生んとこから借りた借着なの。この校長先生たちが親切な人たちでね、自分の子供さんがたの晴着を、そっくりそのまま貸してくれてね、写真まで撮ってくれたっちゅうわけなの。多喜二が死んでから、うちに来た人たちがその写真ば見て、

「貧乏育ちだ、貧乏育ちだって聞いていたけど、あれは嘘だね。小説の中だけの話だね」

って、がっかりしたように言ったもんだけど、

「なあに、あれは借着だったんだ」

って言ったら、みんな黙ってしまった。借着して写真写す暮らしなんて、人は想像もできないのね。

多喜二たちの運動会のことを思うと、あの借着の写真ば、多喜二はどんな気持ちで眺めていたかと……胸が……痛くなるような……ほら、この写真だ。多喜二は前歯出してうれ

しそうに笑っているべし。笑ってるところを見ると、借着でも何でも、いい着物着せられて、本当にうれしかったのかも知れんども、商業高校に入った頃からは、もう見るのもいやになった写真かも知れんわね。

ほらね、チマもツギも、三人共それぞれめんこく写っているべさ。チマはごらんのとおりの器量よしだから、丘の上の水産学校の生徒たちが、昼休みになるとわらわら駆け下りて来てね、うちの店ば目がけて飛びこんでくるの。

わしば、「母さん、母さん」と呼ぶ生徒もいてね、みんなよく懐いてくれたもんだ。けどね、中にはチマと口をききたくて、夕暮れなど、二十分も三十分も店先でぶらぶらしたり、パンをかじったりしていた生徒たちもいたの。

多喜二は小説が大好きだったけど、チマも小説が大好きでね、生徒たちとよく小説の話ばしてた。するとね、水産学校の生徒さんたちはね、『吾輩は猫である』だとか、『坊っちゃん』だとか、『金色夜叉』だとかっていう本を持って来てくれるの。その本をチマが、晩ご飯のあと、後片付けもそこそこにして、みんなに読んで聞かせてくれるの。チマはいい声でね、読み方がうまいの。悲しいところは悲しいように、楽しいところは楽しいように読むわけ。それがみんなの楽しみでね。みんなチマの読む本に聞き入っていたっけね。

ああ、これも借りた話だわね。

借りた話で思い出したども、チマが指輪を借りたことがあった。あれにはへらっ辛い目に遭(あ)った。

なあ、チマ、チマが嫁に行ったのは、大正十一年の春だったね。二十三だった。朝里のこの佐藤藤吉さんの家に、チマはもらわれて来たの。藤吉さんは、小樽の銀行さ勤める銀行員だった。朝里の大きな漁師の長男坊でね、わしら貧乏人には、釣り合わんようないいところさ、チマは望まれて嫁いだわけ。

藤吉つぁんは、どこでチマば見かけたもんだか、とにかくチマば見そめて、きちんと仲人さん立ててもらいに来た。わだしも末松つぁんもびっくらこいた。漁場の親方なんて、そったらでっかい家さチマばやるのは、わだしらは反対だった。「釣り合わんのは不縁のもと」と、昔から言うもんね。

けどねえ、断ってもなかなか諦(あきら)めてくれんの。仲人さんに熱心に口説かれて、とうとうチマをやることになった。その家が、今わだしらが世話になっている佐藤の家ですよ。もっとも、チマが嫁に来た時は、こんなふうに窓から遠くまで海を眺める丘の上ではなくて、この丘の崖下(がけした)の浜に建っていた。でっかい家でね。部屋が七つも八つもあったっけねえ。何しろ鰊時(にしんどき)には、ヤン衆が何十人も雑魚寝(ざこね)できるほどの広い家だった。親兄弟の家族の数

も少なくなかった。

なんぼいい人たちばかりだと言っても、嫁のチマの気苦労は、大変じゃなかったかと思うけどね、なあチマ。

そのチマが嫁入りした時の話ですよ。チマは貧乏人の娘だから、ろくな嫁入り道具もなかった。はあ、チマは女学校を卒業してから、農産物検査所に勤めていたども、もらった給料は一銭残らず親に差し出していたもんね。着物一枚作るんだって、若い娘の安月給じゃ、なかなか大変だった。

それでもチマは嫁入りの時、着物の二、三枚と、安い指輪ば一つはめて行った。大正十一年のその時は、あんた、婿さんが嫁さんに指輪なんぞくれる時代ではなかった。嫁っこも指輪をはめて行く時代ではなかった。安物でも指輪はめてただけ、チマはいいほうだったべな。

さて、結婚式挙げた次の日のこと、石狩(いしかり)の親戚(しんせき)やら札幌の親戚に、若夫婦で挨拶(あいさつ)に行くことになった。と、その時、藤吉つぁんの妹さんが、これまた親切な人でね、チマの安っぽい指輪を見て、可哀相に思ったんだべさ。札幌や石狩の親戚に笑われちゃならんと、自分の指輪を貸してくれた。それがルビーとか何とかいう高い指輪でね、漁場の親方の娘さんだから持っていた指輪だども、あったら高い指輪は、水産学校の校長さんの奥さんだっ

て持ってやしない。わだしだらそんな高い指輪、もしも紛くしたらどうするべと、心配が先に立つども、チマはのんきで気が大きな娘だからね、ありがたく指輪ば借りて、出かけたっていうわけ。ところがね、出かけて二日目、札幌の銭湯に行ったのね、親戚の家には多分風呂がなかったのね。指輪ば外して、財布の中にでも入れて、親戚の家にでも置いて行けばよかったんだが、チマは指輪ばはめたまま、風呂に行ってしまった。

そして、湯ぶねに浸って、洗い場に上がって、石鹸つけて体ば洗っていた。そんな時だ、指輪が少し大きかったんだべさ。指輪がつるりと脱けた。

はっと思って拾おうとしたら、誰かの流したお湯が、さっと指輪ば溝に流した。そして簀の子の下に流れこんでしまった。

さあ、大変だ。手を入れて取ろうにも、狭い簀の子だ。チマには指も入らない。チマは仰天して、早速番台の人に、

「指輪ば流してしまった、何とか取って下さい」

と、泣かんばかりに頼んだが、簀の子は作りつけ、風呂屋の人にも取ることはできない。そんなこんなしているうちに、指輪はどこかに流れて行ったべし、チマはどんなに困ったもんだか。弁償して返そうにも、何年働いたって、おいそれと返せるもんじゃない。チマ

は死にたい思いだったべね。

チマは、婿さんに打ち明けるにも明けられず、しょんぼりと婿さんのあとから蹤いて行った。そしてチマは、石狩川のそばに来た時、自分の指輪ば何を思ってか、川ん中にポーンと投げこんだ。チマとしては、それがせめてもの妹さんへのお詫びとでも思ったんかね。借りた指輪失くして、自分の指輪はめて帰るわけにもいかんかったのね、可哀相に。

そうまでしてみたが、チマは妹さんの顔を見ることができない。貧乏世帯の親に相談したって、どうなるもんでもない。嫁入り先にも帰れず、実家にも帰れず、悩みに悩んだが、結局は若竹町のわだしらの家に帰って来たの。青い顔ばしてね、ぼーっと店に立って、茶の間さ上がることもできないチマの顔を見て、わだしはどきんとした。そして、

「チマ！　お前何ば仕出かした？」

って、わだしは思わず叫んだ。わだしはてっきり、家出してきたか、出されて来たかと思ったわけ。

チマば茶の間さ引っぱり上げるようにして、わだしは話ば聞いた。ぽろぽろ涙こぼしながら話すチマの話を聞いて、哀れで哀れでならんかった。折角嫁さ行ったのに、指輪一つで、もしこのまま別れることになったとしたら、こんな情けない話はない。

何とかしてやらねばならんと思ったが、何とかしてやるにも、わだしらには金はない。

三星の慶義あんつぁまのところさ走って行って、こうこういうわけでございますと、よっぽど言ってみるべかと思った。しかし、おいそれと返せる金ではない。返しもできん金を借りることは、わだしらにはできんかったもんね。

したらどうしたらいいべ。あん時は頭を抱えた。そしてふと考えついた。んだ！　簀の子をくぐって、指輪はとうに流されていたと思っていたけど、万が一、流し溝の先に落し口か何かあって、いったんはその箱のようなところに、お湯がたまる仕掛けになってるんではないべか。もしそうだら、指輪は重い物、落とし口の底に沈んでいるかも知れん。さ、そう思ったら、指輪が風呂屋の落とし口にあるような気がして、一軒置いて隣の、大工さんの家に駆けこんだ。大工さんは、

「さてなあ、風呂屋が承知するか、どうかなあ」

と、手を組んで考えていた。が、日頃可愛がっていたチマの一大事ということで、ともかくも、一緒に札幌まで行ってけさった。大工さんと、わだしとチマの三人で、がったんがったん汽車に揺られて、札幌まで行った時の心配といったらなかった。

札幌に着くと、まっすぐに銭湯さ行った。風呂屋はわだしらの話を聞いていたが、造りつけのものを剝がされたり、壊されたりするのは迷惑だと、にべもなく断った。そして、

「お湯はじゃんじゃん流れていくんだからねえ。そったら小さな指輪、沈んでいるとは思

えないね」

と、そっぽを向いた。けどわだしは必死だった。

「もし指輪が出てこんかったら、この娘は離縁になるかも知れんのです。どうか、おねがいだから、探させてください」

わだしとチマがあんまり頼むもんだから、風呂屋の主人もしぶしぶ承知して言った。

「その代わり、見つかっても見つからなくても、元通りにしてくれにゃ困る」

ってね。さてそれから大工さんが、洗い場に行って、簀の子やら板やら、一つ一つ慎重に外した。するとやっぱり、流し溝の先には落とし口があった。

それを見るなり、わだしは腕をまくって手を突っこんだ。下がぬるりとして、ヘヤーピンだの、櫛だの、布だの、髪の毛だの、何やら気持ちの悪いものばかりが手に触れる。が、なかなか指輪は見つからない。

(駄目か……)

一瞬力の失せていくような思いになった時、わだしは思わず、

「あっ！」

と叫んだ。

「どうしたの⁉　母さん！」

チマが言った。

「あった！　あった！　あったーっ！」

わだしの指の先に、確かに指輪はつまれていたの。

すぐに陸湯で洗ってみた。間違いなくチマが借りた指輪だった。わだしとチマは、風呂場の中で、抱き合って泣いたっけ。なあ、チマ。

見ていた大工さんも、風呂屋さんも、目に涙ためていたっけ。

あれ以来チマは、もともと強い子だったども、滅多なことでは諦めん根性になったねえ。

あのあと多喜二が言った。

「金持ちなら決してしない苦労を、貧乏人は苦労するんだなあ」

ってね。

ああこん時かね、多喜二はまだ高商に通っていた頃だから、そうだねえ、数えで二十だった。そうだ、思い出した。多喜二はね、あんたさん、チマの嫁入りの時、ぽっといなくなってしまった。どこさ行ってたと思うかね？　なんぼ貧乏人だといっても、一応はそれなりに慶義あんつぁま夫婦だの、近所の人たちがお祝いに来てごたついていたの。けどね、多喜二は初め、その部屋の柱に寄っかかって、花嫁姿のチマば、じーっと見つめていたんだけどね、どうしたわけか、チマが家から出る時は、多喜二の姿が見えんかっ

た。と言って、多喜二を捜してる暇なんぞないから、みんなでチマば見送ったども、次の日わだしは多喜二に聞いた。

「多喜二、お前、昨日いったいどこさ行ってた？」

言ったらば、多喜二はすまして、

「おれか？　おれな、音楽会さ行ってた」

って、言ったもんね。

「何？　音楽会？」

わだしが聞き返すと、

「ショパンば聞きに行った」

って言うの。ショパンって、どんなパンだべって言ったら笑ってね。とにかく多喜二はチマの嫁入り半ばに、そのショパンとやらば聞きに、姿ば消してしまったんだねえ。

多喜二は何しろ、人一倍きょうだい思いの子だった。三つ年上の姉のチマとも、いつも小説の話などしてね、本当に仲がよかった。だがら、多喜二はチマの花嫁姿で家を出て行くの、見てはいられんかったのね。それほどチマの嫁入りが辛かったんだと、わだしは思ったの。

多喜二は音楽会さ行っても、チマのことばっかし思って、首っこ下げて、一人でぽとぽと涙ばこぼしていたんだべと、今でも思うことがあるの。多喜二って、そんな優しい男の子だった。

え？　いやいや、このチマに子供はできんかった。それでね、藤吉さんの一番末の弟さんば、養子にもらったの。さっき、庭先にいたのが、その養子になった佐藤光雄っていう人なの。

さてねえ、多喜二は、いくつの時から小説ば書いていたのやら、親のわだしにもよくわかんないども、確か商業学校に入って間もなく、絵だの小説だの書いていたって聞いたから……。何せ商業学校の時は、慶義あんつぁまの家から学校さ通っていたから、よくは知らんども、その頃から書いていたもんだかねえ。

けどなあ、あんた、わだしは小説を書くことが、あんなにおっかないことだとは、思ってもみなかった。まさか、小説書いて警察にしょっぴかれるだの、拷問に遭(あ)うだの、果ては殺されるだの、田舎もんのわだしには全然想像もできんかった。そったらおっかないことなら、わだしも多喜二に、小説なんぞ書くなと、両手ばついて頼んだと思う。

あの子だって、そんな恐ろしいことになるとは、夢にも知らずに書いていたんでないべ

か。まさか小説書いて殺されるなんて……。あの多喜二が殺されるなんて……。

あれは銀行に行ってた時だったべか。いや、高商に通ってた時だったべか。チマの妹のツギが、晩飯（ばんめし）の時にこんなことを言った。

「あんね、母さん。今日ね、果物買いに来た女の人がね……」

ああツギはね、果物屋で臨時で働いていたの。

「……ね、母さん、その女の人、赤ん坊をおんぶして、小っちゃな子の手を引いて、少し腐れの入ったひと山なんぼのりんごの前で、買おうか買うまいかと、手を出してはひっこめ、ひっこめては手を出してねえ、いいりんごのほうを見たり、ひと山なんぼのほうを見たり、そりゃあ何度も何度も思案してるの。そして、とうとう腐れの入ったりんごばひと山買って帰って行ったの。わたしね、自分が金持ってたら、新鮮なぴかぴかのりんご持たしてやりたいと、つくづく思ったよ」

ツギの言葉にわだしは、

「ツギ、お前は優しい心だな。その心が何よりの宝だなあ」

って、ほめてやったの。そしたら、じっと傍で始めから終わりまで話ば聞いていた多喜二が言ったの。

「母さん、優しい心はむろん大事だよ。だがね、ツギの優しい心で、その女の人にしてや

れることには、限りがあるだろ。女の人が可哀相だと思って、金を持っていたら一回はりんごを買ってやれるわな。だけど、その人が店に来るたびに買ってやるわけにはいかんだろ。おそらくその女の人は、一年も二年も、いや三年も五年も、ひと山なんぼのりんごしか買えないんじゃないか。そしてなッギ、小樽の町には、その女とおんなじように貧しい人は、数え切れんほどいるんだ。いや、それどころか、りんごなんて、腐ったりんご一つさえ買えん貧乏な人がたくさんいるんだ。金を持っている人が、その人たちに毎日毎日買ってやっても、追っつかんほど貧乏な人はごしゃごしゃいる。ツギがなんぼ優しい心でその人にりんご買ってやったって、残念ながら何の解決にもならんのだよ」

って ね、多喜二は腕ば組んで暗い顔をしていた。言われてみれば、なるほどそうだとわだしも思った。

「そんだら多喜二、どうしたらいいんだべ」

とわだしが言ったら、多喜二はね、

「だからね、母さん、貧乏人のいない世の中ばつくりたいと、心の底から思って、おれは小説を書いている。おれの友だちの島田正策なんかも、貧乏人のいない社会をつくりたいって、一生懸命勉強しているんだよ」

ってね、そりゃあ優しい顔をしていたっけ。けどなあ、そんな考えがお上から見たら、

どうして悪い考えだったんだべか。あんなひどい殺され方をしなければなんないほど、そんなに多喜二の考えは悪い考えだったんだべか。わだしには、多喜二が何を書いたか知らんども、多喜二はわだしの腹を痛めた子だ。わだしが育てた子だ。あの子がどんなにわだしら親やきょうだいに優しくしてくれたか、親切にしてくれたか、よっく見て来た。カラスの鳴かん日はあっても、あの子が、

「母さん、無理するな」

だの、

「三吾、頑張れよ」

だの、

「父さん、体疲れてないか」

だの、優しい声で言わんかった日は、一日もなかった。

三吾が洋品店に住みこんでいた時だって、多喜二は銀行の帰りに、ビスケットやら、おもしろそうな本やら、何回も買ってきて、

「頑張れよ」

と、声をかけてやっていた。ああ、それはもう話したかね。とにかくそんな多喜二が、貧乏人を助けたいって考えたことが、そんなに悪いことだったべか。人が着てるものと、

おんなじものを着せてやりたい、人の食べてる白い米のまんまを、誰にも彼にも食べさせてやりたい、人の行く学校に、みんな行かせてやりたい、そう思ったのが、どうして悪かったんだべ。

そうそう、多喜二がよく言っていた話があったけ。

昔々、仁徳(にんとく)天皇っていう情け深い天皇さんがいたんだと。お城の上から眺めたら、かまどの煙が、細々(ほそぼそ)と数えるほどしか上がっていなかったんだと。それで天皇さんは、国民はみな貧乏だと可哀相に思って、税金ば取らんようになったんだと。したらば、何年か経(た)って見たらば、どこの家からも白い煙が盛んに立ち昇っていたんだと。天皇さんは大喜びで、国民が豊かになったのは、わしが豊かになったのと同じことだって、喜んだんだと。

この天皇さんと、多喜二の気持ちと、わだしにはおんなじ気持ちに思えるどもね。天皇さんとおんなじことを、多喜二も考えたっちゅうことにならんべか。ねえ、そういう理屈にならんべか。天皇さんば喜ばすことをして、なんで多喜二は殺されてしまったんか、そこんところがわだしには、どうしてもよくわかんない。学問のある人にはわかることだべか。

それはそうと、末松つぁんが大正十三年の八月に死んだ話は、もうしましたね。脱腸の手術なんかで死ぬとは、夢にも思わんかった。多喜二が高商卒業して、その年の三月から

拓銀に勤めることになった。わだしらは銀行なんて、一生縁のない所だと思っていたども、多喜二が勤めたということで、末松つぁんと二人で、一度だけ拓銀の前に行ってみた。六月だったべか、暑い日だった。石造りの立派な建物に、二人共びっくらこいて、

「へえー」

「へえー」

と言うばかり。あん時、末松つぁん喜んだ。

「もう一生、多喜二は食うのに心配はない。寄らば大樹の陰だ、寄らば大樹の陰だ」

って、くり返し言っていた。帰りに二人で氷水屋さ入ってね、氷水ば食べた。氷水食べる間も末松つぁんは、

「いや、ありがてえ、ありがてえ」

と、何べんも言っていた。何しろ学校卒業したばかりで、多喜二は七十円も月給もらったわけだもね。あんなうまい氷水、食べたことないわね。

思えば、あれから二ヵ月も経たんうちに、末松つぁんは死んだ。全くこれからという時に、可哀相に痛い目に遇って死んだ。

考えてみるとあんたさん、わだしと末松つぁんが、用らしい用もないのに、肩ば並べて、道ば歩いたということ、あれが初めてで、終わりでなかったべか。秋田にいた時だって、

二人でぺちゃぺちゃ喋りながら道歩いたなんてこと、なかったもんねえ。

末松つぁんが死んだ時は、チマも泣いた。ツギも泣いた、三吾も泣いた。だども、多喜二が一番泣いた。

「お父っつぁん、折角おれが銀行に入ったっていうのに……」

って、病院の壁ば、叩かんばかりに泣いた。

多喜二は、その頃からだったべか、机に向かって何か書くようになった。商業学校の時も高商の時も、書くには書いたが、銀行さ入ってからは、昼は銀行員、夜は小説家みたいに我武者羅に書いた。

多喜二は帰りも遅くてね、小説の仲間と話し合って来たとかって、十時四十分の終列車で帰って来る。それに遅れると、小樽から一里の夜道ば歩いて帰って来たもんだ。

「母さん、夜道を、歩きながら考えるって、いいもんだぞ。人間はやっぱり、この二つの足で大地を踏みしめないと、育つものも育たないかも知れんぞ」

なんて、よく言っていた。

そうだねえ、友だちってそう多くもなかったども、仲間はいた。片岡さんだの、島田さんだの、四、五人はいたんじゃないのかい。商業学校の時は、多喜二は小説より絵をよく描いていた。展覧会ばやったり、本に挿絵ば送ったり、何か楽しそうにやってたっちゅう

ことだけど、慶義あんつぁまに、「絵なんか描くな、勉強ばせぇ!」って、絵の具箱投げられて、小説ば書くようになった。あのまま絵ばかり描いてたら、あんな死に方ばしないですんだべか。島田正策さんの話では、昭和十六年あたりには、絵ば教えていた先生たちがたくさん牢屋にぶちこまれたっていうことだから、絵を描いていても、おなじことだったかねえ。

とにかく、銀行に入ってからの多喜二の、小説を書く姿には、親のわだしでも、うっかり言葉もかけられんような気配が漂っていたみたいな気がする。あれが真剣っていうのかね。わだしは、そんな多喜二の姿ば見ながら、お茶さえ言われるまで淹れてやれんかった。だども多喜二は、三吾がバイオリンを傍で弾いても、ぴくりともしない。あたりに人なんぞいるもんだか、いないもんだか、バイオリンも聞こえているもんだか、いないもんだか、さらさらペンば走らせていたっけ。

第四章　出会い

あれはやっぱり末松つぁんの死んだ年だから、大正十三年だった。末松つぁんが八月二日に死んで、二ヵ月も過ぎた頃だったべか。多喜二が珍しく、どこかいつもとちがった顔で帰って来た。どこがどうちがうって言えんけど、わだしはあの子の母親だからね、どっかちがうとすぐに感じた。するとね、多喜二がわだしの傍にどかっとあぐらばかいて、

「母さん、おれ、入舟町の山木屋っていう小料理屋さ行って来た」

って、わだしの顔ばじっと見つめた。入舟町と聞いて、わだしはどきっとした。当時人々は、

「入舟町の女郎に叩き売ってやるぞ」

なんて、よく言ったもんだ。遊郭だけでなく、ちっちゃなふつうの家でも、遊郭みたいな商売している所もあると聞いた。ああそうかね、公娼とか、私娼とかいうんかね。

驚くわだしに多喜二は言った。

「母さん、なんも心配すんな。おれが行った山木屋っていう店は、みんながそば屋そば屋

って言っている小料理屋で、おれはテーブルに向かって、女と話して来ただけだ。時々奥に入って行く男もいるから、奥では何してるかわからないけど、どっちにしたって、おれは女を金なんかで玩具(おもちゃ)にしない。ただ小説の参考に、どんな所か友だちに連れられて、見学に行って来ただけだ」

そう言ってまた、多喜二はわだしの顔ばじっと見た。母親の顔を真正面から見れるわけだから、多喜二は女を買わんかったと、わだしも信じた。

「けどな母さん、女たちはおしろいをべたべたつけて、男に誘われれば奥の部屋に上がって行くんだ。自分にもし母親がいるんなら、妹や姉がいるんなら、あんな真似(まね)はできるかな。その女たちの中にな、タミという山木屋一の美人がいた」

多喜二はちょっと目をそらした。

「そのタミさんは、年はまだ十六、七だ。本当にきれいな人だ。おれがきれいだというのはね、その心のことだよ、母さん。おれのテーブルに来て、ほんの少し話しただけなんだが、何しろ話している最中に、ほかの客が連れて行くんだから、長い話なんかできやしない。おれがいつものように本を風呂敷(ふろしき)に包んで行ったろ。どんな本か見たいっていうんだ。そして勉強したいっていうんだ。こんな所にいたくないっていうんだ。それが本気なんだよ。目に涙をためてね、勉強できる人は幸せだって。その言い方がまた、いかにも恥ずか

しそうで、内気そうで、それでいて何ともいえなく優しいんだ。おれ、心から母さんに会わせてやりたいと思ったよ。あんな女の人見たことない」

多喜二はしみじみとわだしにそう言ったわけ。

その後多喜二は、時々タミちゃんの話ば聞かせてくれるようになった。

そのタミちゃんの話ば少し喋るべか。タミちゃんはねえ、明治四十一年の生まれだっちゅうから、まだ十七かそこらの子供だったわけね。多喜二とは六つちがいかね。小樽の色内町で生まれた。小樽の隣りにはね、高島村があったの。ほら、追分節にあるべさ、

〽お忍路高島およびもないが

ってね。その高島の近くで生まれたのね。タミちゃんのおっかさんは、何とこのわだしと同じ秋田の人でね、お父っつぁんは高島で、そば売って稼いでいた。けどねえ、小っちゃな漁師町で、そんなにそんなにそばが売れるわけもない。わだしも嫁に来る前、秋田でそば屋の真似ごとしてたから、よくわかるども、何せ儲けの少ない商売でね。そば屋で、タミちゃんば入れて娘が六人、弟一人に、自分ら夫婦、合わせて九人の大家族だよ。商売替えしようと、苦労して金の算段をし、新しい商売に手をつけたのが運の尽き、たちまち商売はご破算、タミちゃんの一家は、吹雪で立っていられないほどの日、夜逃げ同様に移って行った。

親戚ば頼って行った先が、函館のほうの森っていう町だった。どういうわけだか、貧乏人の親戚というものは、貧乏な者が多い。タミちゃんの家とどっちこっちの家だ。そこへ文無しの九人家族がころげこんだわけだから、どうなるかは目に見えているわね。こっちは懐かしくて頼りにして行ったが、十五のタミちゃんを頭に、ごしゃごしゃとたくさんの子供がころがりこんだ。ものを食べるにも茶碗もないような有様。子供たちは、

「腹減った」

「腹減った」

と騒ぎ立てる。それでも、ひと月余りは何とかかんとか凌いだが、もうこれ以上は二進も三進もいかなくなった。

そこで「背に腹は変えられず」というかね、器量よしのタミちゃんに目をつけた周旋屋に勧められて、まだ男のことも何も知らないタミちゃんば、室蘭の店に売ってしまった。でも十五の子供だからというので、初めは客を取らせなかったというけど、親たちはタミちゃんば売った金がなくなると、やれ誰が病気だの、誰が怪我をしただのと、金をせびる手紙をよこす。その金を主人に都合つけてもらえば、タミちゃんの借金が増える。で、タミちゃんは無理矢理客を取らされることになってしまった。

可哀相に十五やそこらの娘がねえ。わだしも十三で嫁になったども、売られたのとはち

がうもんね。それでもタミちゃんのおかげで、一家は何とか食いつないで、小樽に戻って来た。いや、高島じゃなくて、長橋っていう所ですよ。父親は、日雇いになって、来る日も来る日も、朝早くから夜遅くまで、一生懸命働いた。けど、何しろ子供が多い。父親はくたびれ果てて、もう生きる力もなくなったのかねえ。何日かぼやーっとして、独り言いってたそうだども、とうとう汽車に轢かれて死んでしまった。その踏切がねえ、なんとわだしらのいた店のすぐそばの若竹の踏切だった。これも何かの縁だべか。そう言えば、ちょうどその頃、汽車に轢かれた人がいると聞いて、みんなが見に行ったことがあったっけ。

これゃあもう、末松つぁんより哀れな話だわねえ。末松つぁんと言い、タミちゃんのお父っつぁんと言い、いい目に会えない人がこの世にはいるものなのね。

何べん聞いても、涙の出る話だども、この通夜の席にね、貧乏な親戚が何軒か集まって、このあとどうしたらいいべという相談になった。タミちゃんのおっかさんは、思いもかけないつれあいの急死に魂消て、しばらくはものも言えんようになった。働き手のつれあいに死なれては、明日からどうして食わせていくか、それさえ考える力がなくなった。

そりゃあ無理もないわね。で、親戚の者たちは、

「子供らば誰かにもらってもらうより仕方ないべ」

と言った。それで、七人のうち、長男と次女と、五女を残して、あとの四人はちりぢりにもらわれていくことになった。長男と次女は何とか家の足しになるべということで残したわけね。葬式がすんで、もらわれて行く子供たちは、泣きながら引きずられて行くのやら、手を引っぱられて行くのやら、何もわからずすやすやと背中で眠っている赤ん坊やらで、母親は胸のしめつけられる思いをしたと、聞かされたことがあった。

　このお父っつぁんの葬式のあと、四ヵ月ほど経って、タミちゃんは小樽の山木屋へ、室蘭の店から転売されて来たんだって。このタミちゃんに、うちの多喜二が会ったちゅうわけね。

　うちの多喜二も一途な子だからねえ、タミちゃんに初めて会った日、心の底からこの子を、こんな場所から救い出したいって、思いこんだらしいのね。四日もつづけて、山木屋へ出かけて、飲めもしない銚子一本取って、タミちゃんと話していたらしいの。

　そんなこともあって、多喜二は小説を一生懸命書いていたんだべか。

　ああ、話がどっかで後先になってしまったみたいだわね。多喜二はあの夜、

「母さん、おれタミさんっていう子、放っておけない気がするんだ」

　って、初めて会ったタミちゃんに心ば奪われているようだった。わだしはそん時まだ、タミちゃんという娘に会ったことがなかった。だども、日頃の多喜二のいうことやするこ

とを信用していたから、タミちゃんはまちがいない娘だべと、すぐに信用したのね。第一わだしは、秋田の貧乏育ちだから、家のために売られた友だちば何人も見ている。よく世間では、水商売の女とか女郎とか言って、蔑むども、わだしにはそんな気持ちは、これっぽっちもなかった。小さなきょうだいたちが腹をすかしている、親は働いても働いても貧乏だ。泥棒することも知らないほど正直だから、人にだまされたりする。もう娘ば売るより仕方がなくて、娘の前に両手ばついて、親だって泣き泣き子供ば売る。どこの親が、自分の娘ば商売女に売りたい者があるべ。若い時からそんな貧乏ば見てきたから、タミちゃんは立派な親孝行娘だと思ったよ。

わだしがそう言うと、多喜二が喜んで、

「そうか、親孝行娘と言ってくれるか。やっぱりおれのおふくろだあ」

なんて、涙ば拭いていたこともあったっけ。

それにしても貧乏神というものは、よくよく執念深いもんらしい。タミちゃんのおっかさんは、四人も一ぺんに子供ば人にやってしまって、よっぽど淋しかったんだべか、一年忌はおろか、半年も経たんうちに、再婚してしまった。男は金を稼ぐと思ったからこそ、再婚したらしいけど、そのおやじさんはのんべえで、ぐうだらときた。酒は飲むし、仕事は怠ける。前よりもひどい貧乏で、苦労するようになってしまった。

そんな頃かねえ……わだしの思いちがいもあるかも知れないから、ちがってたらごめんなさい……そんな頃にタミちゃんは、小樽の山木屋に室蘭から転売されて来たの。そして、多喜二と知り合ったというわけ。

タミちゃんと知り合いになってから、多喜二は時々、今まで見せたことのないむずかしい顔をして、じっと腕組みしてることが多くなった。そしてわだしに、

「母さん、人間って一体何だろう?」

なんて、突然言うことがあった。また、

「母さん、人間は、物でも、動物でもないんだ。もっと貴いものなんだ。それを売っただの買っただのして、よいもんだろうか。金の力で、いやだいやだという女を、男の思いのままにして、いいもんだろうか」

ってね。わだしはね、本当の話、貧乏に生まれたら、売られても仕様がないんだなあと、小さい時から思って育った。多喜二のように、人を売ったり買ったりすることが悪いとは、気がつかないで大人になった。売られたもんは可哀相だ。運が悪い。そんなことしか思わんかった。けどねえ、多喜二に言われてみて、人間は貴いものだ、金で自由にしてはならんものだ、ということが段々のみこめてきた。

呆(あき)れたもんだねえ。いい大人になりながら、人が売られるのを、可哀相にと涙はこぼれ

ても、人を泣かせる悪い奴がいるなんて、全然思わんかったもんね。

多喜二はね、またこうも言ったっけ。

「毎晩男に体を買われて、つらい思いをしている女が、小樽だけでも何百人もいる。日本中にはどれほどいることとか。女は死ぬほどいやな思いをしているのに、男はそれが楽しみだ。男にとって女は、単なる遊び道具なのか。人間が遊び道具、冗談じゃない。たった一度の人生だよ、母さん。その人生を泣いて暮らす女がいる」

そう言って、多喜二はいても立ってもいられんような顔をしたことがあった。もちろん、たった一度の人生を泣いて暮らすのは、女ばかりじゃない。男だって泣いているもんはある。とにかく、タミちゃんを何とか救ってやりたいって、多喜二は家にいるツギにも、たまに顔ば見せるチマにも言うようになった。チマも、まだ見ぬタミちゃんの身の上を思って、助け出すことには賛成した。けど、誰も、タミちゃんがどのくらい借金があるか知らんかった。

そんな頃、ツギが一度、こっそり、わだしにこんなことを言ったことがある。

「ね、母さん。いつか、わたしが果物屋の店に買い物に来た女の人のこと、言ったことあるよね。女の人が、ひと盛りいくらの安いりんごを買うか、いいほう買うか、迷っているのを見て、可哀相だったたって言ったら、兄さん、その人に新鮮な果物を買っても、本当の

解決にはならんぞって。世の中にはたくさんの貧しい人がいて、一人や二人に親切にしてやっても、貧乏は絶えないぞって。タミちゃんという人一人助けても、何千何万っていう女郎の人は、助けられんよねえ」

わだしはなるほどと思った。タミちゃんは助かるかも知れん。けど、たくさんの売られた女の人ば、どうしたら救うことができるか、わだしにはよくわからんかった。多喜二は、

「だからいい世の中が来るように、おれは小説を書くんだ」

と言ってたども、本当にそんな世の中が来るんだべかと、つくづく考えさせられてね。タミちゃんを救けてやりたい。この気持ちに変わりはないども、むずかしい世の中だと思った。多喜二はわだしたちより、もっともっと世の中のことば考えて、頭の中一ぱいだったんだべな。

多喜二は時々、銀行の帰りにタミちゃんの所に寄って来るようだった。もちろん、下の店でテーブルの椅子に坐って、話ばするだけのこと。多喜二の話では、タミちゃんっていう人は、本当に初心な娘っこでねえ。客にそっと手でも握られようもんなら、ぱっと立ち上がって、逃げ出したりする人だと言っていた。そんなタミちゃんが、男に体ば売るのは、どんなに口惜しいことだったべ。それば知ってる多喜二も、どんなに辛いことだったたべ。だから多喜二は、酌をするタミちゃんに、小指一本触れまいと気をつけたようだよ。

多喜二はね、タミちゃんに、何か本を貸してやっていたようだった。

「あんね、母さん。タミちゃんは、もっと人間とは何かっていうことを、勉強しなければならん。いや、タミちゃんばかりじゃない。世の中の者全部が、自分は人間だ、という誇りを持たなければならん。人間には、していいことと悪いことがあると、みんながわかった時、本当の意味でこの世は変わる。不幸を生きぬく時、人間は幸せになる。不幸に押しつぶされていてはならんのだ」

そんなことを、多喜二はよく言っていた。あの子は、おんなじことを飽きずに、何べんも言う子だったからねえ。

またある時、こんなことも言ったことがある。

「誰もが同じだけ金を持っていても、同じだけ幸せになるとは限らん。人を幸せにするのは、金だけではない。そこんところに気がつかなければならん」

とね。これはわだしにもよくわかった。金はないよりあったほうがいいが、少しくらい足りなくても、笑うことはできるのね。そう言えば多喜二は、

「貧乏人のほうが、金持ちよりよく笑う」

という諺(ことわざ)もよく言っていた。そう言われればそうだわね。金持ちで何人も妾(めかけ)のある家に、笑いはないわね。いがみ合うばかりでね。

ところで多喜二は時々、

「闇があるから光があるんだ」

と、独りごとのように言っていた。何を考えて言っていたもんだか、わだしにはわからねども、多喜二はタミちゃんの身の回りが、どうしようもなく真っ暗で、闇のようだと言っていたから、やっぱりタミちゃんのこと思っていたんだべな。

話があっちこっちさ飛ぶけど、多喜二は高商に行ってた頃、教会さ通ってた。チマもツギも三吾も、一緒に行っていた。チマが二十三、ツギが十六、三吾が十四、多喜二が二十の年だった。慶義あんつぁまの家がヤソだったから、誘われて行ったのか、行きたくなって行ったのか、闇とか光とかいう言葉も、このチマに言わせると、聖書の中に時々出てくる言葉だってね。わだしは何の学問もない人間だども、「闇があるから光がある」という言葉、ほんとだなあとよく思ったもんだ。

多喜二って、思いこんだら一筋に打ちこむ性格だった。まだ二十二か三の若者だから無理もない、頭ん中は小説のことと、タミちゃんのことで、ぎっしりだったんでないべか。拓銀に勤めて、一年も経たんうちに、急に東京の商大ば受験するって、東京さ行ってしまった。小説家になるには、東京にいなけりゃ、何かと不都合だと思ったんだべな。タミち

ゃんのためにもいい小説書いて、闇から救ってやろうと思ったんだべさ。折角給料七十円もらうようになって、やれやれと思っていたども、多喜二のすることだ、まちがいはあるまいと思っていたら、東京から電報がきた。ツギがひらいてみたらば、

「オチタ　アンシンスレ」

って、書いてあったんだと。可哀相にな。なんぼか東京で小説書きたかったんだべ。だから、東京に行く口実に、大学の試験受けたども落ちてしまった。「アンシンスレ」という電報の言葉は、わだしらの暮らしを思って書いたんだと思うと、やっぱりわだしとしては涙が出た。

帰って来て、多喜二は言った。

「おれが東京さ行ったら、さぞかし母さん困ったろうな」

って。東京から帰って来てからは、休んでいた拓銀にまた通って、多喜二は一生懸命働いていた。小説も、茶の間の隅っこにおいた机に向かって、夜おそくまで、無我夢中で書いていた。その傍で三吾がバイオリンを弾(ひ)いていた。その二人の傍でわだしは下着の継ぎをしたり、寝巻ば縫ったり、浴衣(ゆかた)ば縫ったりしてたもんだ。

多喜二は、時々大きな溜息(ためいき)をついてたことがあった。

「何か心配事あるだか？」

と聞くと、

「おれ、やっぱりタミちゃんば救い出さねば、おちついて小説書けん。救い出してやっていいべか」

と、きちんと膝を折って、わだしの前に両手をついた。

「そりゃあ多喜二、母さんも前から賛成してることだべ」

って答えたら、

「でもさ、タミちゃんは借金が三百円もあるんだ」

って、辛そうに言った。

「三百円⁉」

わだしはびっくらこいて、二の句が出んかった。教員の初給料が四十円から四十五円といわれた大正十四年の頃のこと、三百円といえば、やっぱり目の剝くような高いお金だもんね。じっとうなだれていた多喜二がね、

「母さん、暮れのボーナス、二百円は出ると思うんだけど、それ使ってもいいべか」

ってね。わだしはホッとした。どっからか借金してこなければ、どうしようもないと思ったども、銀行からのボーナスで間に合うんなら、そんなありがたいことはない。

「いいとも、いいとも。早くタミちゃんば苦界から救ってやったらいい」

わだしがそう言うとね、多喜二はするするっと涙ばこぼして、

「母さん！」

と、わだしにしがみついて、おんおん泣いた。このことば、三吾にも、チマにもツギにも話してやったらば、誰もかれも喜んで、

「いいところさ、金ば使う」

と、やっぱり涙こぼして喜んでくれた。それほど多喜二のすることを、きょうだいたちはみんな、まちがいないと信じていたもんね。

ほんとの借金はもっとあったらしく、多喜二は、小樽高商時代一級上の、島田正策さんから、二百円も借りたらしい。島田さんもいい人で、そんな大金ばぺろりと、一通の証文もなく貸してくれた。

こないだ、島田さんが多喜二ばお詣りに来てくれた時、わだしは思い出して、

「そういえば正策さん、あの借りたお金ば返さんで、多喜二は死んだんだべな」

って尋ねたら、正策さん手を横にふって、

「いや、そんなこと」

と笑っていたが、でっかい借金返していなかったんだね。とにかく島田さんのお陰で、タミちゃんば身請けできて……ありがたいことだった。

タミちゃんば秋には身請けできるとわかって、大正十四年のその九月、わだしは近所の……あの札幌の風呂屋さんまで行ってくれたあの大工さんに頼んで、四畳半の中二階を一間造ってもらった。たった八畳と六畳の二間の家だべし。中二階が出来ると、多喜二は喜んだのなんの、早速机を上げて、二階で小説ば書くようになった。あの頃は多喜二の一番幸せな時だったかも知れん。もうじきタミちゃんは身請けできる。中二階の、屈んで歩かねばならんような小っちゃな部屋だけど、自分たちの部屋もできたし、それだけで多喜二は幸せだった。その幸せが、どうして幸せのまま終わることができんかったんかね。

それはそれとして、とにかく部屋ができた。あとはタミちゃんが来るばかりとなると、迎えるわだしらも、そわそわして落ち着かんかった。つい、

（タミちゃんって、どんな娘だべなあ）

って思ってしまう。多喜二がいい娘だというから、それはまちがいないとは思うども、何しろ一度も会ってはいない。どんな顔だか、どんな声だか、どんなものの言い様するだか、性質はどうだか、自分の目では確かめてはいない。おとなしくて、恥ずかしがり屋だって多喜二は言ったども、どんなふうに恥ずかしがり屋だか、そこがよくわからん。ツギや三吾とも、

「どんな娘だべ」

と話し合うことはあったども、みんな、

「兄さんがいいひとだというんだから、いいひとだべ」

と言うばかり。

いよいよ身請けの日が近づいてくると、多喜二の両肩に、何かもやもやと殺気に似たものが漂うのを感じた。多喜二がわだしに言うには、

「タミちゃんば身請けするといってもな、母さん。おれはこの家には連れて来んよ」

とのこと。

「なんでまた⁉」

驚くわだしに、

「だってな、母さん。おれはタミちゃんを苦界から救い出したいだけなんだ。ここですぐおれの嫁さんになってくれといえば、おれの金で救い出されたタミちゃんは、断るにも断れん」

わだしはまたも驚いて多喜二を見た。多喜二は普通の男とはちがうと思った。普通、男は、金で自由にした女ば妾（めかけ）にして囲うとか、嫁にするとか、とにかく自分のものにしてしまう。ところが多喜二は、そんな気はないという。それではタミちゃんが嫌いかと言えば、

「そんなこと言わんでもわかるだろう」

と、顔を赤くする。わだしは、

「好きなら遠慮しないで、嫁さんにしたらいいべさ」

って言ったの。まだ二十二の多喜二は、嫁取りなど恥ずかしいこととでも思っているのかと思ったが、そうでもないらしい。多喜二はわだしの目をまっすぐに見て言った。

「男と女は互いに自由でなければならないんだ。自由な身でつき合って、それで結婚する気になったら、結婚すればいい。とにかく今のタミちゃんに結婚を申しこむのは、金で女を買うのと同じことになる。おれは、そうはしたくないんだよ。わかるだろ、母さん」

多喜二はそう言ってから、

「それでタミちゃんを、郊外の真栄町に身を隠させようと思うんだ。あとのお父っつぁんが、タミちゃんの自由になるのを待っていて、またぞろどこかに売り飛ばすという話だから……」

と、まあそういうことになったわけ。わだしは肝が潰れる思いがした。なんぼ自由にしてやろうと思っても、それをまた売ろうとしている父親がいるなんて、なんとタミちゃんは不幸な娘だろうと、わだしは涙がこぼれてならんかった。

そんなこんなしているうちに、さあ十月になった。タミちゃんはとうとう真栄町に間借りすることになった。遂に多喜二が待ちかねていた自由の身になったわけだわね。多喜二の

顔に輝きが出てきた。体にも力が漲ってくるように見えた。が、そのうちに、店にパンを買いに来た近所のおかみさんが、わだしに声をひそめてこう言った。

「こんなこと言っちゃなんだけど、お宅の兄さん、奥沢のほうに女ば囲ってるって聞いたけど……」

わだしはそれを聞いてびっくらこいた。あわてて手を横にふって、

「とんでもない! そりゃちがう。独り者の多喜二が女など囲うわけないべし」

って言ったら、

「ああそうかい。したら、兄さんの嫁さんかい。えらいきれいな人だっていうじゃないの」

と、独り合点して、よかったよかったと、帰って行ったのね。わだしは、

(こりゃまあ、どうしたもんだろう)

と思ったが、次の日別の人が来て、

「おばさんおばさん……」

と、同じことを聞きに来た。タミちゃんは器量よしだから、街の中におけば目につくが、田舎におけばなおのこと、ぱっと評判になった。多喜二に言うと、そのことは多喜二の耳にも入っていたらしく、

「どうしたらいいべ、どうしたらいいべ。あっちのお父っつぁんにタミちゃんのこと知られたら、大変なことになる」

と、いても立ってもいられぬ様子。とどのつまり、この家さ連れて来るのが一番ということになった。わだしはいつも店番してるし、夜はツギたちもいて賑やかだし、ちょっとやそっとに、お父っつぁんにさらわれることはないと思った。そのことをタミちゃんに話すと、タミちゃんもひとり暮らしが心ぼそかったらしく、わだしらの家に喜んで一緒に住むという返事だった。

そして遂に、十月半ばのある日、タミちゃんがわだしらの家にやって来た。多喜二の陰にかくれて、恥ずかしそうにお辞儀をした。タミちゃんの口から、

「おかあさん、いろいろご心配をかけて、申し訳もありません」

という、行儀のよい言葉が出た。ちょうど三吾もツギもそこに居合わせたが、みんな固唾を飲んでタミちゃんば見つめた。タミちゃんはその一人一人にもていねいに頭を下げた。三吾もツギも、お辞儀を返すのを忘れて、ただもうぼんやりとタミちゃんに見とれるばかり。んだなあ、そん時のタミちゃんを何にたとえたらよいべかなあ。三保の松原に下りた天女は、こんな感じではなかったべかと、わだしは思った。ほんとに何ともいえん、やさしいと言ったらいいか、清らかと言ったらいいか、あったかいと言ったらいいか、どもこ

もならんほど、人の心を和やかにするいい笑顔のタミちゃんだった。え？　そん時の三吾たちの齢ですか？　ああ、三吾は十六、ツギは十八で幸が九つだったねえ確か。このチマは嫁に行っていて、その場にいなかったけど、二十五になっていた。タミちゃんが来て、すぐに夕飯になった。わだしはね、タミちゃんの第二の出発だと思って、赤飯ばふかした。多喜二の嫁さんになってくれるかどうかはわかんないども、わだしの心ん中では、どうか嫁さんになってくれればいいと思って、嫁に迎える気持ちもあった。赤飯をふかしながら、わだしは、タミちゃんって娘は、うちさ来ても、絶対父親に売られないという保証はない。なんと可哀相な子だろうと思った。

さて、卓袱台を囲んで、タミちゃんは多喜二の隣に坐った。そして、赤飯と煮しめの置いてあるのを見て、タミちゃんは俄かに顔ば両手で覆って、声をしのばせて泣いた。三吾はぽかんとしてタミちゃんば見た。

「どうしたね？」

わだしが言った。したらば、タミちゃんは声を上げて泣いた。そして涙を拭きながら言った。

「わたしね、生まれて初めて、赤飯でお祝いしてもらったの。わたしの家では、赤飯でお祝いするということなど、弟も妹も、誰も一度もなかったんです。わたしみたいな者に、

赤飯でお祝いして下さって……」

みんなもらい泣きしながら、赤飯ば食べました。三吾もツギも幸も、みんなひと目でタミちゃんば大好きになってね。タミちゃんも、わだしの子供たちば心から可愛がってね……。

そうそう、タミちゃんが来て、二、三日後、わだしはタミちゃんに、向かいの下駄屋から、下駄ば一足張りこんで買って来た。するとツギと幸が、その下駄を見るなり、

「母さん、これ取り替えてくる」

って言って、二人で向かいの下駄屋に走って行った。わだしは、ツギも幸も、ろくな下駄を履いてないのに、タミちゃんにはいい下駄ば買って来たと、腹ば立てたのかと思った。したらば、二人はニコニコしながら帰って来て、

「母さん、あれはなんぼなんでも粗末だよ」

ってね。本当にあん時はうれしかった。タミちゃんは身請けされて来た娘だから、借金ばかりあった娘だから、着替えもろくにない。せめて下駄ぐらい新しくしてやろうと、わだしは自分の娘たちの気持ちも考えて、張りこむのは張りこんだつもりだが、やはりそれなりの遠慮はあった。ツギも幸も、そして三吾も、本当にタミちゃんば幸せにして上げたいという気持ちで、一杯だったんだね。あん時の子供たちはみんな幸せそうだった。何だ

か電球を明るいのと取り替えでもしたように、うちん中が今までより明るくなったような気がした。


　春になると、三吾やツギたちは、毎年のように海べに流れ木ば拾いに行ったもんだ。タミちゃんのいたそん時も、三吾やツギたちが、流れ木ば拾いに行く。家の裏に築港駅の構内があってね、そこの構内の線路ば何本も跨いで、海べまで行く。打ち上げられている流れ木を、それぞれが拾い集めて、縄で括って背負って来る。

するとね、あんた、それと知ったタミちゃんが、うちの娘らと一緒に、線路ば跨いで浜まで行くの。うちの子らは、山木の店にいて水仕事ひとつしなかったタミちゃんが、流れ木拾うのを見てびっくらこいて、

「いいから、いいから」

　ととめるども、タミちゃんは、

「わたし、みんなと一緒にこんな仕事をするの楽しいの」

　って、人の心融かすみたいな、あったかーい笑顔見せるもんだから、ますますうちのツギたちはタミちゃんば好きになってね。

　ええ、わだしが店でお客さんの相手ばするから、タミちゃんはご飯の仕度までしてくれ

てね、

「おかあさん、この大根はどう切りますか」

とか、

「お味噌汁の味見てください」

とか、何でもかんでも私に聞くの。その聞く声が何ともめんこくてね。ああ、裁縫も習ったことがないからって、雑巾刺すことから教えてけれって、賢い娘でね、何でも習おう、習おうっていう気のある娘だった。わだしが夕食のあと始末したあと、疲れた足ば伸ばしていると、さりげなく傍に寄って来て、

「おかあさん、足の裏のここを押したら、疲れが取れるんですと」

などと言いながら、心のこもった押し方をして、やってくれるの。わだしは、もうほんとうに真から、うちの多喜二はいい娘に惚れこんでくれたと、喜んでいたもんだった。

タミちゃんはね、中二階に一人寝ていた。階下は二間っきりだから、多喜二が夜中に中二階に上がって行けば、すぐわかる。けど、多喜二はただの一度も、タミちゃんの傍にしのんで行ったことなかったの。わだしのほうがやきもきして、

（あれま、多喜二はタミちゃんば、どうするつもりだべ）

と、なんぼ思ったかわかんない。土曜日の午後、タミちゃんの部屋に、多喜二が上がっ

て行くことはあった。けど、二階から聞こえてくる声は、

「今日は海が静かでいいなあ」

とか、

「この海つづきに、何んていう国があるか知ってるか」

とか、

「この間教えてやった啄木の歌、暗記したか」

なんていう話ばかり聞こえてくるの。何だかわだしは、タミちゃんに気の毒な気がしてね。男と女だもの、早く祝言ば上げて、もっと仲よくしたらどうだべって、何度もそう思ったもんだった。

けどなあ、まさか多喜二に、そんなことも言えないしね。多喜二はただ、タミちゃんば自由にしてやったんだ、そのタミちゃんば自分の思いのままにしては駄目なんだ、と言うばかりだからね。

ああ、そうそう、近所に金持ちのお嬢さんがいてね、あのひともタミちゃんと同じ十七、八ぐらいだったべか。ピアノとかいうものば、ポロンポロン弾いてたって聞いたっけ。それでね、時々多喜二や三吾やツギがそこの家に行って、歌ばうたったり、ピアノとバイオリンと合わせて鳴らしたりしていたの。そのお嬢さんも、これまたきれいなお嬢さんだっ

たけど、恥ずかしがり屋のタミちゃんとはちがって、よく笑う娘だった。タミちゃんが来てから、一度わだしの家さ来て、三吾がバイオリンば弾き、ツギがハーモニカば吹き、多喜二とお嬢さんが、「荒城の月」とか、「故郷の何とか」とか、声ば合わせてうたったんだよね。タミちゃんにも、

「一緒にうたおうや、タミちゃん」

って、多喜二は楽譜ば見せたけど、タミちゃんは頭ば横にふって、みんなが遅くまでうたったり喋ったりしているのを聞いていた。タミちゃんは何を考えていたんだべ。とっても淋しい顔していた。ずーっと笑顔は見せていたけど、あれは淋しい顔だった。今でもあの顔、忘れられんの。多喜二としては、自分が音楽が好きだから、うたって、タミちゃんば慰めてやったつもりかも知れね。

「楽しかったか？　タミちゃん」

って多喜二が聞いたら、タミちゃんは大きくうなずいて、

「とっても」

と、にっこりと多喜二の顔を見た。あれは、「とっても淋しかった」と言いたかったのかも知れん。でもタミちゃんは楽しそうに、にっこりと笑った。あん時のタミちゃんば、わだしは今日まで、何べん思い出したかわかんね。あん時ぐらい、（ああタミちゃんとわ

だしは同じ貧乏人の仲間だ)って、思ったことはない。

タミちゃんは、あん時、自分は多喜二の嫁さんになれる女じゃないって、はっきり思ったにちがいない。高商を卒業した多喜二には、ピアノを弾ける学校出のお嬢さんがちょうどいいと、諦(あきら)めたにちがいない。人間って、知らんうちに、人の心ば淋しくさせているもんなんだねえ。

それでも、タミちゃんは次の日もにこにこして、ご飯炊(た)きしたり、掃除したり、流れ木拾いに行ったりして、ほんとにくるくるとよく働いた。多喜二も、小説が思うように進むと言って、喜んでいた。けど、うまくいけばいくほど、一日も早く東京に行って、向こうで小説書きになりたいと思っていたようだった。

「母さん、おれが東京に行ったら、タミちゃんば頼むな」

と、タミちゃんのいる前でも言うようになった。多喜二としては、東京で食べられるようになったら、タミちゃんを嫁に迎えるつもりだったかも知れないのね。だどもタミちゃんは、わだしにこう言っていた。

「多喜二さんは、わたしがここにいたら、東京に行きづらいかも知れないわね」

って。

「そんなことあるもんか、何ば遠慮してるの」

わだしが叱ると、タミちゃんは淋しそうに笑って、

「わたし、おかあさんといつまでも一緒にいたい」

なんて言ってくれてね。

それでも、夏の夕方には、多喜二はタミちゃんを連れて、時々散歩に出たもんだ。そんな時タミちゃんは、多喜二からいつも三歩ほど離れていて、伏し目勝ちに歩いていた。まあ、あの頃は、夫婦でもどこかの家に行く時など、半丁も離れて歩いていたもんだ。何せ、交番の前を夫婦が並んで通ったりしたら、

「お前たちはどこへ行く。どんな関係だ?」

と、おまわりさんに聞かれたもんだからね。

とにかく、多喜二とタミちゃんの歩いて行く姿を見ながら、

(何ば話しているんだべ。早く一緒にさせてやりたいもんだ)

と、なんぼ思ったことだか。

あれは忘れもしない大正十五年の十一月十一日のことだった。朝目ば覚ましたら、いつもわだしより早く起きて、ストーブを焚きつけてくれるのがタミちゃんの役目だった。ところが、ストーブにまだ火の気がない。台所にも、店にも、タミちゃんのいる気配がない。

(ははあ、疲れてまだ眠ってるな)

そう思って、わだしは着物に着替えてストーブに火をつけた。タミちゃんのことだ、わだしが起きたと知ったら、いつまでもぐずぐずと寝床の中にいるはずがない。

(はてな、風邪でも引いたべか)

昨日の夕方、向かいの下駄屋さんの前で、ドンドン太鼓を打ち鳴らしながら、

ただ　信ぜよ

ただ　信ぜよ

って、ヤソの歌を四、五人の人がうたっていた。うちに餅やらパンやら買いに来ていた男たちが、

「ヤソか、ヤソば信じて金儲けになるなら、信じていいどもな」

って、冗談言いながら餅饅頭ば食べていた時、タミちゃんがガラス戸越しに、そのヤソの歌ば、まじめな顔して聞いていたのを、ふっとわだしは思い出した。あん時風邪引いたんだべかと思いながら、わだしはそっと二階に上がって行った。

ところがタミちゃんがいない。

(あれっ!?)

と思って部屋ん中ば見渡すと、布団も何もきれいに片づけられて、窓の傍の立て鏡の前

に、紙切れが二つに折って、置いてあった。わだしはもう胸がドキドキして、階段の下に向かって叫んだ。

「多喜二――っ！　多喜二――っ！　タミちゃんが……」

ちょうど階段の下にいた多喜二が、

「タミちゃんがどうしたって――！」

と、階段を二つ飛びに駆け上がって来た。

あん時多喜二は、タミちゃんが首でも吊って死んだかと思ったんだって。わだしが差し出した紙切れば、ものも言わずに読んでいた多喜二が、

「母さん！　タミちゃんは家出した！　どうしてだ。どうしてだべ⁉」

と、おろおろした。顔が真っ青だった。その死人のような顔色ば見て、わだしは多喜二が哀れで哀れでならんかった。好きで好きで、山木の店に通って、そこでサイダーぐらいしか飲まないで、タミちゃんば慰めて、ボーナスば全部はたいて、正策さんから金借りて、やっと同じ屋根の下に住めるようになった。タミちゃんが来て、小説の仕事も、はかいくって喜んでいた。本当に、多喜二はこの十カ月余り、張りが出て幸せそうだった。それが突然、タミちゃんがいなくなった。あったら淋しいことってあったべか。多喜二が読んでくれたところによると、

「わたしがいたら、多喜二さんの東京行きの邪魔になると思います。いろいろお世話になったけど、黙って出て行きます。出て行くわたしの胸も、張り裂けそうです。何とぞお察しください。家出をしても、決して二度と堕落の道は歩みません。

おかあさん、すみません。三吾さん、ツギちゃん、幸ちゃん、すみません。

多喜二さんは、安心して東京に行って、偉い小説家になってください」

そんなことが書かれてあった。

多喜二は朝飯も食べずに家を飛び出して、すぐにタミちゃんの母親の所に行った。やっぱり家に帰ったと思ったのね。

タミちゃんのおっかさんは、時々タミちゃんの所にやって来て、二階でいつまでも、ぼそぼそぼそぼそ話をしてた。その母親が帰ったあと、タミちゃんはいつも浮かぬ顔をしていた。このタミちゃんのおっかさんとは、わだしもだんだん親しくなって、話ば聞いたが、最初のつれあいには急死されて、子供を何人か親戚にやったども、親子が食べて行くのは大変で、今のつれあいと一緒になった。そのおやじが滅多にいないほどの酒呑みで、酒を呑めば乱暴をし、その上どうしようもない怠け者ときた。金がなくなれば、タミちゃんの勤めていた山木の店に、一円だ三円だと、金をせびりに行ったが、タミちゃんが身請けされてからは、せびりに行くにも、行く所がない。それで、多喜二ば恨み、タミちゃんば親

不孝もんだと罵って、腹立ちの余り、今度はタミちゃんの妹ば山木に売り飛ばすと言っているなんて、おっかさんが言ってたばかりだった。

そんな様子を聞かされて、タミちゃんはどんなに心ば痛めていたことか。母親思いで、きょうだい思いで、自分が店を出たあと、家では金のやりくりをどうしているのかと、きっとそれが心配で心配でならなかったんではないべか。

わだしの家も貧乏だと思っていたけど、タミちゃんの家は、もっと貧乏のどん底だった。

「大切な娘ば身請けして、どうしてくれる！」

と、怒鳴りこみたいほどの貧乏だったのね。それを思いやることはできんかった。タミちゃんは、どんなに大事にされても、弟たち妹たちは満足にご飯食べているかどうかと、そのことのほうが、心配でならんかったのね。歌ばうたって聞かせて、慰めたつもりでいたが……本当にタミちゃんは、どんな思いで出て行ったべか。

タミちゃんは家には帰っていなかった。多喜二は、心当たりはみな捜したが、全然タミちゃんの影もない。多喜二は目が真っ赤に腫れ上がるほど、何日も駆けずり歩いた。あん時は、チマも、ツギも、幸も、三吾も、みんながっかりしてな。

多喜二はろくにご飯も食べないで、むっつりと窓の外を眺めていたっけ。きっと多喜二は、あのおとなしいタミちゃんが、たった一人で生きていけるわけはないと、やっぱり自

殺を心配していたんではなかったべか。わだしもふっと、浜べにタミちゃんの死骸でも打ち上げられてはいないべかと、眠れんままに夜明けの浜まで行ったこともあった。

多喜二は多喜二で、あのタミちゃんが一人で、飯食っていけるべか、堕落はしないと書置には書いてあってもと、つい要らん心配をせずにはいられんかったべなあ。多喜二は一生懸命タミちゃんに字ば教えたり、有名な俳句や短歌を教えて、教育してやっていたから、いろいろたまらん気持ちになって、あんなに赤い目になったんだべか。

タミちゃんが家を出て行って、一週間もした頃だったべか、多喜二が、夜も更けてから、大声上げて帰って来た。

「いたぞ！　母さん、タミちゃんがいたぞ！」

ってね。もう布団に入っていたわだしも、三吾たちも、みんなわっと布団の上に立ち上がった。

「ほんとか多喜二!?」

もう死んだかも知れないと思っていた時だから、みんな息ばつめて、多喜二ば見た。多喜二はわだしの肩にしがみついて、

「母さん！　タミちゃんは生きていた。おれはもう目ぼしい所を、虱つぶしに歩いていたんだ。小樽にはいないと、がっかりしながら歩いていたら、どこにいたと思う？　小野病

院だ」

「えっ⁉　小野病院？」

三吾が声を上げた。

「ああ、病院の住込みだ。掃除したり、洗濯したりする仕事だ。山木屋じゃなかった」

「どうして連れて来んかった？」

わだしが言うと、

「おれのふだん言っていた言葉が、効き過ぎたんだ。人間は女も男も、自活せねばならん。自由というものは、自分で汗かいて働いてこそ、得られるんだって、おれは始終言ってい
た。タミちゃんのその、どうしても自活したいという気持ちは、いい加減なもんじゃなかった。帰ってくれって頼んだけど、わたしは初めて売られずに働くことができた。どんなことがあっても、自分で働き通せる自信が欲しい。今また多喜二さんの所に世話になったら、自活を身につけることができなくなってしまう。タミちゃんはそう言ってな母さん、まるで一週間前のタミちゃんとは、別人みたいに、しっかりしていた。あれを連れ戻したら、おれはタミちゃんの成長を邪魔立てすることになる。タミちゃんは自活したんだ。喜んでやってくれ。あのタミちゃんが、自分で見も知らぬ家を訪ねて、雇ってくださいって、言えるまでになったんだ」

多喜二はそう言って、肩をふるわせていた。わだしは、自活だか何だか知らねども、タミちゃんに帰って来て欲しかった。タミちゃんは、ほんとにめんこい娘っ子だった。ほんとにやさしい娘っ子だった。

でもね、タミちゃんはとうとうわだしらの家には帰って来んかった。多喜二に連れられて、一度「心配かけてすまんかった」と、両手ばついて謝まりには来たどもね、可哀相になあ、十七や八で、いつも頭ん中にあるのは、おっかさんのことだの、弟や妹のことだからね。世間の娘だば、まだ女学校に行ってるだの、裁縫やお花など習いに行くだの言って、ずんぶん親に甘えている頃だ。タミちゃんはね、わだしにこう言った。

「うちの母さんが、ここのお母さんぐらい頼りになれば、わたしは何の心配もないんだけど」

ってね、ぱらぱらっと涙をこぼしてね。

それから一人で一度、近くまで用事で来たからって、顔ば見せてくれたことがあった。

そして、

「お母さん、きっといつか恩返しさせてもらうからね」

って、じっとわだしの顔ば見て帰って行った。病院の住込みって、病人のシーツだの寝巻だのって、洗い物が多いのかねえ、手ががさがさに荒れていたっけ。

ああ、多喜二かね。多喜二もむろん帰って来て欲しいと、そりゃあ誰よりも思っていたべけど、多喜二だってまじめな子だからね。自分がタミちゃんに「自活すれ」「自活すれ」って教えていた手前、無理矢理引き戻すことはできんかったようだ。それでも二人は、一週間に一ぺんは会っていたようだった。タミちゃんから、銀行の多喜二んところに電話があって、今夜はひまだってわかると、二人で稲穂町の町角で落ち合っていた。うん、たいてい大黒屋呉服店の角だって。そして二人で、花園町の「蛇の目鮨」で鮨(すし)ば食べて、小樽公園をぶらついて、何だかだと話して、十時四十分の終列車で、若竹町の家さ帰ってたもんだ。ま、時には活動写真を見に行ったらしい。

だけど、二人で会っても、何の話ばしてたもんだか。何せ多喜二は、タミちゃんが家にいた時、

「さ、タミちゃん勉強しようね」

とよく言ってね、日本の諺(ことわざ)だの、西洋の諺だの、帳面に書いて、これは何という人が言った言葉だの、その人がどんなことをしただの、わかりやすく話して聞かせるの。本を読ませる時も、むずかしい漢字には、いちいち仮名ばふって上げていた。そのうち字引を買って来て、字引を一人で引けるように教えてやったり、そんな時の多喜二もタミちゃんも、とっても楽しそうだった。

多喜二はよく演説など聞きに行っていたが、

「母さん、母さん、今日の演説会は目茶苦茶だ。三百人入る演説会に、何と巡査が五十人も六十人も入っていた。弁士が一分喋ると、もう弁士中止だ。客が怒ると、巡査がどなって、文句を言う客ば引っ張ってった」

なんてわだしにさえいろいろ教えてくれる多喜二だから、タミちゃんに会ったらそんな話ばかりしていたんでないかね。

そうそうこんなことも言ってた。

「母さん、タミちゃんは、本当に勉強好きの娘だね。いつも真剣に、ぼくの言葉に耳を傾けてくれている。この手紙にもね、ぼくがこの間教えてやった英語の短い言葉ばまぜて、書いてきたよ」

って、そりゃあうれしそうだった。多喜二は、

「母さん、そのうち必ずタミちゃんを嫁さんにもらうよ」

って、よく言っていたが、タミちゃんに何か教えるのが、その結婚の準備のつもりだったんかねえ。わだしは男と女というものは、もちょっと甘い言葉ばかけたり、かけられたりするもんかと思っていたけど、多喜二は、夫婦というもんは、もっと話し合うもんだとか、お互いの考え方を話し合うもんだとかって、タミちゃんと喋っていたようだったなあ。

タミちゃんが家を出た当座は多喜二もしょんぼりしてたども、時々会って活動写真なんか見て、それで気が落ちついたか、ある時訪ねて来た友だちに、

「いや、参った参った。タミちゃんはノラだ。君、あれは見事なノラだよ」

って、愉快そうに笑ってたことがあった。わだしは、

「多喜二、ノラって何だ？　ノラ犬のことか？」

って、ちょっとばかり腹立った声出したら、多喜二はまた笑って、

「ノラってなあ、母さん、ノラ犬でもノラ猫でもない。西洋の小説に出てくる女の名前だ。そのノラは、やっぱり家出したのさ。女は自立すべきだと気がついて、家出した女なんだ。有名な名前なんだよ。タミちゃんの家出は、よく考えてみたら、このノラのようだと思ってね。この春に頼まれた講演で、おれ、ノラの話をしたんだよ、母さん。生まれて初めての講演だども、うまく喋れたって言ったことあったべさ……」

って、にこっと笑った多喜二の顔、よく思い出すどもね。

ああ、このノラの講演かね？　多喜二に言わせると大成功だったたって。女がたくさん聞きに来ていて、始めから笑わせて、自分でもあんなにうまく喋れるとは思わんかったって、いつもの多喜二に似合わず、わだしに自慢して聞かせてくれていた。

講演で思い出したども、三吾のバイオリンの初舞台のこと話したべか？　三吾がそれこ

そ初めて大勢の前でバイオリンば弾くっていうんで、多喜二は早くから会場に行った。もう何十年も前のことで、ノラの講演のほうが先か、三吾のバイオリンのほうが先か、忘れたども、とにかく多喜二は早く会場に行って席に坐ってたども、三吾の出番が何せ三番目ということで、二番目の人が出た時は、胸がどっきりどっきりして、何ば聞いてるか、さっぱり耳に入らんかったそうだ。多喜二は帰って来て、

「母さん、凄い大成功だった。もの凄い拍手だった。みんな三吾のこと、齢が若いのに、こりゃあ大天才だってほめてくれた。母さん、三吾には素質がある。そのうち三吾も、東京でバイオリンの勉強させねばな」

って、あの子は全くきょうだい思いだった。あとで、三吾は東京に出て、かなり立派なバイオリン弾きになったけど、多喜二がいなければ、バイオリンを買ってももらえん、習わしてももらえんで終わったかも知れないね。

あれ、タミちゃんの話から、何で三吾の話にきてしまったかね。わだしの目から見たら、多喜二は一生懸命に小説ば書いていたし、銀行の仕事もまじめにやっていた。時々タミちゃんに会うだけで、多喜二もタミちゃんも、お互いそれなりに満足してるもんだと思っていた。

ところがタミちゃんは、五月二十八日に、またまた小野病院からいなくなってしまった。

手紙は多喜二宛に書いてあったども行き先は書いてない。こん時は多喜二は泣いた。男があんなに泣くものかと、人は笑うかも知れないども、多喜二は心底からタミちゃんば幸せにしたいって、なんぼ思っていたことだか。

多喜二ががっくり来たのは、無理もない。それはね、二十七日の夜、タミちゃんのいなくなる前の日二十七日に、タミちゃんといつものように会っている「蛇の目」で鮨食べて、小樽公園をぶらぶらして、水天宮さんにお詣りしているんだからね。タミちゃんがいなくなったのはその次の日だ。なんで前の日一言言ってくれなかったんだべってね。あんまり不意打ちで、多喜二はものも言えんほど驚いた。そして泣きながら、どっかの便利屋に荷物ば頼んだにちがいないって、便利屋ば一軒一軒尋ねて、足を棒にして歩いたけど、どこの便利屋から荷物出したもんだか、わからんかった。

この時の多喜二を思い出すと、わだしの胸まできりきりっと痛くなる。あん時はわだしも、タミちゃんが可哀相とは思いながら、ちょっとばかり恨めしかった。多喜二は二十九日の日も、三十日の日も、三十一日の日も、涙ば拭き拭き便利屋ば捜して歩いた。あちこちの雇い入れ屋に一軒一軒電話して、こんな女が仕事ば捜しに行かなかったかと尋ねたがいない。

多喜二は帰って来て、阿呆のようにへたりこんで、ぼんやりしていた。ものも食べる気

になれんかったようだ。もう四日も捜したわけだ。小樽にはいないかも知れないって、多喜二が泣き泣き言っていたのが五月三十一日。

六月一日の朝、多喜二はちょっと遅くまで寝ていたが、

「もう捜したって、無駄だよなあ」

って、窓から海のほうを見ながら言った。わだしが、

「無駄かも知れんが、捜さんわけにはいかんべ」

って言った。せめて捜し歩いているだけで、少しは元気が出るべと思ってね。多喜二がタミちゃんを失ったら、もう何もかも終わりのようにわだしも思ったしね。多喜二は素直な子で、わだしの言葉に逆らったことは、めったにない子だったが、そん時だけは、

「母さん、もう、おれ、捜す力がない」

って、親指で目頭を拭っていた。わだしはわざと大きな声出して、

「何だこの意気地なし！　そんな意気地なしで、人間この世を生きていけるもんか」

と言ったの。したら多喜二は、はっとしたように顔上げて、

「そうだね、母さん、おれは、社会のどん底にいる人に、生きる希望を与えたいと小説を書いている。そのおれが、ここでへたりこんでは、小説がうそになる」

そう言ってね、顔ば洗って、ご飯ば食べて、家を出て行った。その姿を見送りながら、

少し右肩を上げたその歩き方が妙に可哀相でね。ああは言ったども、がっかりして帰ってくるんではないかと、とっても辛かった。

ところがその日、多喜二はとうとうタミちゃんの行き先を尋ね当てた。タミちゃんは、五月二十八日の、あのいなくなった朝、一番列車で一人室蘭に行ってしまっていた。荷物はやっぱり便利屋に預けてあった。

ああ、この年かね、忘れもしない昭和二年だったねえ。あれから六年後に多喜二は死んだんだもねえ。わだしの齢はそん時五十五、多喜二は二十五だった。ええ、数え年でね。

多喜二は、タミちゃんが室蘭に行ったと聞いて、二、三日ぼんやりしていた。室蘭はね、あんた、タミちゃんの初めて売られた店がある町でね、タミちゃんはほんとにまだ十五か十六の子供の時に売られて、辛い思いをした所だ。でも、そのタミちゃんば可愛がってくれたのは、その店の若旦那でね、その若旦那に優しくされて、タミちゃんも若旦那を好きだったことがあるらしいのね。

ああ、うちの多喜二と知りあったのは、室蘭から小樽に売られて来てからだからね。とにかく多喜二の知らないその室蘭にタミちゃんは行ってしまった。これが多喜二には応えたらしい。以前に優しくしてもらった若旦那の所に、タミちゃんが頼って行ってしまったと、多喜二は思った。

タミちゃんが室蘭の店にいた時、家から金をせびられるとこの若旦那に言って、金を五円だの十円だの、前借させてもらった。その若旦那のいる室蘭に行かねばならなかったタミちゃんには、タミちゃんの事情があった。というのは、二度目のお父っつぁんが相変らず酒ば食らって、仕事ば怠けて、タミちゃんの妹ば売るだの売らんだの、大騒ぎになった。

しかもタミちゃんのおっかさんがね、そんな貧乏のさ中に、赤ん坊を生まねばならんことになってしまった。当然もの入りは目に見えている。

多喜二とたまに会っても、多喜二は勉強の話だの、芸術の話だの、演説の話だの、そんなことばかり聞かせてくれるだけ。いつ結婚しようだの、世帯持ったらどうしようだの、タミちゃんの一番聞きたい話は、多喜二は何も言わん。それにねえ、タミちゃんには納得できんことがあった。多喜二はまじめな男でね、結婚するまでは絶対にタミちゃんに手をつけない、と真剣に思っていた。その多喜二の気持ちが、タミちゃんにはよくわからんかった。多分タミちゃんは、自分が商売女だったから、多喜二が用心していると勘ぐったこともあるらしいの。自分の家が貧しいために、多喜二が結婚をためらっていると思ったこともあるかも知れん。家から金をせびられても、病院の住込みでは金の出る道はなし、多喜二に頼もうにも、身請けしてもらった莫大な金のことを思うと、とても言い出せるもの

ではない。

それに、自活だ自立だといつも聞かされていては、タミちゃんとしても、相談したいことも相談できんかった。そんなところに、母親の出産が目の前に迫った。そこで背に腹は替えられず、優しくしてくれた室蘭の若旦那のところに行く気になったんじゃないのかね。

タミちゃんは室蘭に行こうと決心した時、もう多喜二のところには帰るまいと、覚悟を決めていた。タミちゃんは本当に気性のいい子でね。自分のような親きょうだいを持った者にかかずり合っていては、多喜二は決して幸せにはならない。小説を書くにも、いいものは書けない、そう思い思い、引き下がっていた娘なんですよ、あの娘は。タミちゃんに室蘭に逃げられて、多喜二は初めて、

「母さん、おれ、もっと早く東京に行って、タミちゃんと世帯を持てばよかった。これからでも遅くはない。おれ東京さ行く。母さん許してくれるか」

ってね、わだしの手をしっかりと握って言った。

第五章　尾　行

この年、昭和二年の一月一日付で、多喜二は本俸九十二円を頂く身分になっていた。多喜二は東京支店に転勤させてもらおうと、上の人に頼む気になった。

わだしも少し世帯が楽になって、ほっとしていたところだども、そんなことは言っていられない。多喜二がタミちゃんば、どんなにめんこく思っているか、タミちゃんもまた、どんなに多喜二を本気で思っているか、よくよくわかっていたからね。東京に行きたきゃあ行ったらいい。小説の仕事もやりやすくなるべって、多喜二の肩ば叩(たた)いて励ましてやった。

あんな時、母親っていうのは、何もしてやれんもんだなあ。わだしみたいに一字も読めず、息子の書いた小説も読んだことのない親っていうのは、多喜二から見たらどんなもんだったべ。さぞ頼りないおふくろであったべな。

だども、多喜二はただの一度だって、字の読めんわだしば笑ったこともなし、馬鹿にしたこともなし、何でもかんでも打ち明けて相談してくれたもんだ。何もわからんものに相

談してくれて、ほんとに多喜二も優しい子だった。

こんな多喜二を見てたから、わだしは多喜二が共産党に入った時も、賛成した。多喜二がいいと思うことは、金輪際まちがいないと思った。

タミちゃんが小樽から姿を消した頃だったろうか。小樽に大きなストライキがあった。ああ、わだしだって、ストライキの言葉ぐらい覚えたほど、ストライキ、ストライキって、みんな言ってたもんだ。

無学なわだしには何かわからんが、昭和二年のその年のメーデーには、三千人も労働者が集まった。それば見ようと、花園公園に集まった人が、何と一万人もいたんだと。

その騒ぎのそもそもの始めは、四十人近い沖仲士が、賃金上げろって騒いだんだと。わだしら農家で秋田にいた時も、みんな小作料が高いだの低いだのって、ごたごた言っていたの覚えているども、月給ば上げて欲しいって騒ぐのは、よっぽど貧乏が腹に応えているからだべ。わだしはそう思ってた。

こん時のストライキで、船主たちの味方についたのは、警察と在郷軍人だと聞いて、びっくらたまげたのを覚えている。だって、秋田にいた時、わだしんちの前にいた駐在さんは、貧乏人のわだしに飴ばくれたり、煎餅ばくれたりして、可愛がってくれたもんだ。だからわだしは、警察って貧乏人を可愛がるもんだと思っていたもんね。

その上、在郷軍人だべさ。兵隊だの軍人っていうのは、弱い者を守るもんだべさ。

「世の中の仕組みはそんなもんではない」

って、多喜二から聞かされたども、わだしは、いやいや警察も在郷軍人も貧乏人の味方だと、心の底で思っていた。

あん時、何百人もの労働者が、デモするべってことになった。したら警察が止めに入った。こうして取っ組みあいとなった。労働者は石ば投げるべし、警察は労働者ばぶっ叩くべし、両方共に怪我人が出た。わだしには、どっちが正しいか正しくないかわからんども、人ば殴ったり蹴ったりするのは、身ぶるいするぐらいいやでたまらんかった。

多喜二はそん時、わだしに言った。

「母さん、労働者はね、今よりほんの少し月給上げて欲しいと言ってるだけだよ。せめて子供たちに、あったかいおまんまを腹一杯食べさせたいと願っただけだよ。労働者も人間だ。働いたら働いただけのお陰のある生活をさせて欲しいということが、そんなに悪いことだべか」

ってね。わだしに言うの。わだしは、多喜二の言うこと、当たり前のことだと思ったけどな、それが悪いことだったんかねえ。あん時のストライキでは、小学校の子供が三千人も学校ば休んだ。もうずいぶんと昔のことで、はっきりとは覚えておらんけど、何でも北

海道中の労働者十二万人が、ストライキに加わったとか聞いたっけ。

このストライキに、多喜二も一生懸命だった。もちろんそれは銀行を退(ひ)けたあとでね、ビラの下書をしたとか言っていた。わだしは、よくはわからんども、貧乏な者たちが、昨日よりもっとましなおまんまにありつける生活が来るんなら、それは結構なことだ、うれしいことだ、と心から思った。だって、同じ日本国民だべ、貧乏人だって、金持ちだって。自分がうまいものを食べている時、食べるものがなくて、空きっ腹抱えて、水か何か飲んで、寝なきゃならん人間がいることを思ったら、あんまりうれしくはないわね。

うちの店に来る客にも、秋田、青森、山形、福島などから出稼ぎに来てる人もいたども、餅(もち)だの、アンパンだの、店に突っ立ったままかじりかじり、ふっと何を思ってか、目尻(めじり)から涙こぼしているお客さんが時々いてね、わだしはきっと、この餅を、アンパンを、郷里の子供に食わしてやりたいと思っているんだべと思って、胸が一杯になったことがあった。

そしてつい、

「上がって味噌汁(みそしる)飲んでいかんかね」

とか、

「蓄音機ば聞いていかないかい」

なんて言ったりしたの。

ああ、蓄音機かね、あれは多喜二が古道具屋から買ってきたもので、わだしに秋田の民謡だの、その頃、はやりの浪花節のレコードだの、買ってきて聞かしてくれたの。するど出稼ぎの人らね、みんな声ば揃（そろ）えて、庄内おばこ節などうたってなあ。

〽おばこ来たかと
　田んぼの外れまで
　出てみたば
　おばこ来もせで
　用もない　たんばこ売りなど
　ふれてくる　コバエテコバエテ

なんてね、うたったもんだ。あ、おばこってのは、若い娘っこのことでね、みんなで手拍子取りながら、うたったりしたの。あん時、出稼ぎの人らは、胸の中で何思っていたもんだか。やっぱり、女房や子供が懐かしくて、泣いていたんだべなあ。あの人ら、一日に五銭でも十銭でも給料上げてもらえたら、なんぼ喜んだもんだか。十銭上げてもらえたら、月に三円近くなるもんね。雨風で休みの日があるからね。

そう思うと、わだしもストライキ賛成だった。だけど、お上からみたら、とんでもない悪いことだったんだってね。労働者の集まりっていうと、警察がたくさん来て、そればかりか、しょっぴいて行ったり……んだんだ、うちの多喜二なんか、

「きょうも警察にあと尾けられた」

「きょうも警察、おれば尾けて来た。おれ靴のひもば結ぶふりしてしゃがんでると、向こうも小路さなんかに姿隠している」

って言ってね。

「いやな世の中になった。陰気な世の中になった。あと尾けるほうもこそこそなら、尾けられるほうもこそこそだ」

って言ってたのは、あのストライキ終わってからでなかったべか。でも多喜二は、

「母さん、おれはね、みんなが公平に、仲よく暮らせる世の中を夢みて働いているんだ。小説ば書いてるんだ。ストライキの手伝いしてるんだ。恥ずかしいことは何一つしてないからね。結婚するまでは、タミちゃんにだって決して手ば出さんし……だから、おれのすることを信じてくれ」

そう言ってね、わだしが、

「多喜二のすること信用しないで、誰のすること信用するべ」

って言ったら、うれしそうに笑っていた。

「なんもびくびくすることはないけど、人に迷惑かけられないからね。状差しの中に、要らん手紙を差しこんでおかんように気いつけたり、誰々の家はどんな奴がいるかとか、どんな奴が遊びに来るかなんて聞かれても、絶対喋らんように頼む」

そんなこと言ってたこともあった。わだしが、

「心配するな、何も知らん知らんで、通すから」

って、胸ばぽんと叩いたら、

「母さんはいい母さんだ。体はちんこいけど、心のでっかい母さんだ」

って、まじめな顔して言ってくれてなあ……いや、あれは、タミちゃんが小樽から出て行った年か、その次の年だったべか。確か妹のツギは、タミちゃんのいなくなった翌年の三月に嫁入りした。ま、どっちの年がどうだったかわからんども、特高とやらが店にぬっと入って来たことが、何度かあった。

退屈だべな、こんな話。わだしに学問がなくて、多喜二の本当に言いたかったことがどんなことだったか、よく喋られなくて、すまんこった。

ちょっと話が飛ぶみたいだけど、多喜二は昭和四年の九月に、銀行の調査係から、出納

係に移されたことがあった。左遷だって、ここにいるチマがひどく案じていた。チマの婿さんも銀行勤めだったから、その辺の事情はよく知っていたらしい。

多喜二は、わだしに心配かけまいとして黙っていたども、左遷だっていう話をチマとこそこそ喋っていたのを覚えている。けど、それから二カ月も経った十一月、多喜二はとうとう銀行ば馘になってしまった。そう昭和四年の年ね。多喜二が何をしたから馘にしたのかってチマに聞いたら、

「多喜二の書く小説が、金持ちたちの気に入らんことや、お上の気に障ることが書かれてあるからだろうね」

って、チマは辛い顔をしていた。多喜二は大正十三年に拓銀に入って、昭和四年に馘になった。満五年も勤めていたべか。日本から貧乏人をなくすべっていうあったかい気持ちが、なんでそんなにみんなから嫌われたもんだべ。頭の悪いわだしには、未だにわかんない。

そうそう、大事なこと言い忘れるところだった。この年の春にね、はい昭和四年の春に警察に引っぱられた。ま、考えてみれば、銀行としては秋まで置いてくれたわけだから、多喜二の働きぶりは見ていたんだべ。惜しい男だと、上の人らが言っていたって、あとから誰かがわだしに教えてくれたことがあった。

多喜二が死んで、戦争が負けて、今頃になってから思い出す多喜二の言葉がある。警察にいつだらかっだら尾行されていた多喜二は、いつの夜だったか、わだしにしみじみ言ったことがあった。

「おれな、母さん、おれはいつの間にか、ずいぶんと有名な小説家になったけど、内心びくびくしてるんだ。いろいろなことがわかればわかるほど、権力って恐ろしいもんだと、背中がざわざわすることがある。これ見てくれ、おれのこの小説、××がたくさんついてるだろう。これは金持ち側から言わせると、書いて欲しくない言葉が並んでるからだよ。今の時代に、××の多い小説ほど、いい小説だっていう証拠なんだがねえ。こないだは、おれの小説の『蟹工船』が、東京の帝劇で大評判を取った。けどな、評判が立てば立つほど尾行がきびしくなって、もう小説書くの、どうしようかって思うことがある。でもな母さん、世の中っていうのは、一時だって同じままでいることはないんだよ。世の中は必ず変わっていくもんだ。悪く変わるか、よく変わるかはわからんけど、変わるもんだよ母さん。そう思うとおれは、よく変わるようにと思って、体張ってでも小説書かにゃあと思うんだ」

多喜二はそう言ったの。わだしは何もわからんども、なるほど多喜二の言ったとおり、ずいぶんと世の中変わったもんだと、つくづくと多喜二の言葉を思い出すことがあるの。

メーデーなんかもおおっぴらにできるようになったもんねえ。賃上闘争だってできるようになったもんね。

あ、そうだそうだ。今思い出した。小樽のあの物凄(ものすご)いストライキの、一番初めの初めは、確か小樽に浜野って金持ちがいてね、その浜野の畠で小作人たちが働いていた。でもね、その年は何せひどい不作で、小作料を払う余裕がなかった。それでわざわざ小作人たちが、

「今年だけは小作料は勘弁してくれ」

って、小樽まで頼みに来た。それの応援に小樽の労働者が加わった。ところが地主の浜野が巡査や在郷軍人に頼んで邪魔ばした。何でもそれが始まりだって聞いたような気がする。これもまちがってたらごめんなさいよ。

わだしも、警察はおっかなかったなあ。店の戸が開く音するから、お客さんだと思って、茶の間の戸ばあけて、いらっしゃいって顔ば出すと、うんともすんとも言わないで、店ん中じろじろ見ながら、突っ立っている。

「何か用だべか」

って言ったら、

「息子は銀行で、いい月給取ってるんだろ。おっかさんがこんな店することとないだろ」

なんて、優しそうな声を出すの。そして、「上がるよ」とも言わないで、いきなり茶の

間に上がって、状差し調べたり、多喜二の机のあたりを調べたり、

「これは何だ？　これは誰だ？」

なんて聞くの。わだしは、

「わだし字読めんから、誰がどこの人だか、さっぱりわかんない」

と言ったども、初めの頃は胸がどかどかしたもんだ。わだしの心臓がおかしいのは、もしかしたら、あんな胸のどかどかする思いを、何べんもしたからかね。

さっき、多喜二が警察にひっぱられたって言ったわね。あん時もびっくりした。警察にひっぱられるっていうのは、泥棒か、けんかか、火つけか、人殺しでもした人間だと、ほんとにそう思ってたもんね。ところが、多喜二みたいに親孝行で、きょうだい思いで、銀行の仕事も一生懸命なら、小説書くことも一生懸命、働きづめの人間が、どうして警察まで行かねばなんないかと、わだしも警察とけんかすべえかと思ったぐらい、腹が立ったもんだ。

多喜二は警察に尾けられても、ひっぱられても、一生懸命小説ば書いていたもんだ。けど時々、窓から海のほうば見て、じーっと動かんことがあった。小説のことを考えていたのかも知れんども、わだしには、二年前に小樽から姿消したタミちゃんのことを思っているように見えた。

「タミちゃん、今頃どうしているんだべ」

飯時など、そんなこと言うことがあった。何百円もの大金で身請けしてやったのに、逃げてった、なんてことは多喜二はこれっぽちも言わんかった。だけどわだしは、もうタミちゃんのことは諦めたほうがいいかも知れんな。タミちゃんは自分の親きょうだいのために、また体ば売らされているんじゃないかと、思ったりしてね。多喜二は、

「母さん、タミちゃんの気持ちは変わってないと思うよ。タミちゃんほど真剣に這い上がろうとしている女は、そうそうはいないよ」

そう言ってね、ひとつも疑っていないの。

話があと先になるけど、昭和四年の五月だから、警察にひっぱられたひと月あとで、十一月に馘になる半年前のことだ。

ある晩、多喜二がうれしそうな顔して、夜おそく帰って来た。多喜二は銀行が終わったあと、時々小説書きの仲間と、どこかで話し合ったりして、おそくなることがあったの。そん時多喜二は、

「母さん、おれ、今日、誰に会ったと思う？」

と、わだしの膝の前に、どっかとあぐらかいたの。

「まさか、お前……」

わだしの胸がどきんどきんと大きくとどろいた。きっとタミちゃんに会ったにちがいないと思った。すると多喜二は、

「そのまさかだよ、母さん！　タミちゃんにおれ会ったんだ」

そう言って、わだしばじっと見つめた。

「そうかあ！　やっぱりタミちゃんに会えたんかあ」

わだしはね、あんた、タミちゃんがいなくなった時、多喜二が人目もかまわず、泣きながら何日も何日も捜して歩いたことを思い出してなあ、目を真っ赤にしていた多喜二を思い出してなあ、思わずぽろぽろっと涙がこぼれた。

「母さん、心配かけたな」

って、多喜二もちょっと声を詰まらせたけど、タミちゃんのことば話してくれた。

「母さん、タミちゃんどこにいたと思う？　ホテルにいたんだよ、ホテルに」

わだしは、ホテルが何をする所だかよくわからんども、多喜二の話では、ホテルは西洋宿屋のことだってね。泊まるのはたいてい東京からの官員さんや、大臣や、大きな会社の社長さんやら、銀行の偉い人やらだそうだね。そんな所、おれなんぞの月給取りじゃ、その玄関にも足を入れられん高級な西洋宿屋だって多喜二が言っていた。

そこのホテルではね、ご飯食べる時は、食堂で食べるんだって。タミちゃんはそこの給仕人になって、白いエプロンつけて、働いていたんだって。給仕人といってもね、客にふっついて酒の酌なんかしなくてもいいんだって。多喜二は、

「タミちゃんはやっぱり堕落してなかった」

って、うれしそうだった。

しかしね、ホテルと銀行とは、目と鼻の先なんだと。それなのに、多喜二はホテルの前を通ったことがなかった。通う道順じゃなかった。ところが、そん時に限って、友だちと一緒にホテルの前を通った。そして、何となくホテルのほうば見た。したら、タミちゃんが玄関のそばに立って、多喜二のほうを見ていた。

(タミちゃんだ!)

多喜二は夢かとばかり驚いたんだって。タミちゃんもびっくらして、まばたきもせんで多喜二ば見つめた。多喜二も、目ばまんまるにしてタミちゃんば見た。そしてそん時多喜二は、

(ああタミちゃんの気持ちは、おれの気持ちとおんなじだ。なんにも変わっていない!)

って、そう思ったんだって。そして、驚いて突っ立っているタミちゃんのそばさ行って、

「タミちゃん、元気か、勉強してるか、手紙出すからな」

って言ったら、

「うん、多喜二さんに言われたとおり勉強してる。お母さん元気？」

って、答えたんだって。タミちゃんは仕事中だから、そのまま別れて来たども、

（ああ、タミちゃんとおれは、おんなじ気持ちで生きている。人間として頑張っている）

そうつくづく思ったと、多喜二はわだしの顔ばじーっと見つめながら、話して聞かせてくれたの。わだしはね、うちの多喜二も、言うに事欠いて、

「勉強してるのか」

なんて、そんなことしか言えんかったんだべか。なんで、室蘭からいつ帰って来ただの、遊びに来いよだのって、言えんかったんだべかって、呆れたり、感心したりしたもんだ。

それから多喜二は、いっそう頑張って小説ば書いていた。けどなあ、小説に書いてることが問題になったのか、いつだらかっだら特高に尾けられてね、銀行にまでやって来るもんだから、とうとう銀行ば馘になった。けど多喜二はわだしが心配すると思って、しばらく内緒にしていたの。いつものように弁当持って朝早く出かけて、何してたんだべか。今考えても可哀相になる。月給は九十六円だったべか。毎月、百円近い金を、きちんきちんともらってるのは安心なもんだ。それがぷっつりとこないようになった。辛かったなあ、あん時は。まじめにまじめに生きてるのに、馘になって、なんぼか口惜しかったべな。馘

と知った時は夜もろくろく眠られんかったもんだ。あん時多喜二は二十七、わだしは五十七だった。

次の年の昭和五年が明けると、多喜二は昆布温泉に出かけて、小説ば書いていた。家にいると、なんだかんだと刑事がやって来るからだったべな。この温泉には一カ月もいたか二カ月もいたか、もう忘れたがね、よくまそんな金があったと思うべさ。あの評判になった『蟹工船』が、一万五千冊も売れたってことだから、温泉に行けるくらいは入ったんだべさ。もう日本中に多喜二の名前は知れわたっているって、三吾も言っていた。

この昆布温泉にいる多喜二のところに、ホテルで働いているタミちゃんから、時々手紙が行っていたらしい。多喜二があとで言っていた。

「母さん、タミちゃんはね、おれに正月の贈り物だって、万年筆とドロップスば送ってきたんだよ。それでおれは、その万年筆で、絶対いい小説を書くって、ドロップスをなめなめ、タミちゃんに励まされて小説書いたよ」

タミちゃんからもらったドロップスなめなめ、タミちゃんからもらった万年筆で小説ば書いている多喜二の姿ば思うと、わだしは二人がいじらしくてね、何とか早く一緒にしてやれんもんかと思った。多喜二もずっとそう思いつづけていたわけだのに、なかなか一緒

だべなあ。

になれんかった。それはタミちゃんの親きょうだいが貧乏で、タミちゃんは遠慮だったん

けど、きょうだいたちも、二年経てば二年、四年経てば四年、だんだん大きくなって、

ほんの少しは楽になったかも知れないね。温泉から帰って来た多喜二が、

「母さん、タミちゃんな。今度東京さ行って、洋髪の学校に入りたいんだって」

と言った。それは半年もかかる学校で、多喜二は、賛成したらいいべか、反対したらい

いべかと、案じていた。今のまま小樽のホテルに勤めていたほうが無難でないべか。髪結

いの学校で、入学する時期を一日延ばしに延ばされて、金だけ取られてだまされた者もい

るし、半年間一生懸命勉強して、手には一銭もなくなった者もいる。出たはいいけど店ひ

らくのに、病院ひらくのと変わらんぐらい金が要るとの話も聞いた。多喜二はそう言って、

「どうしたらいいべ、どうしたらいいべ」

って、一人肝焼いているの。少しぐらい学校さ行って来たって、腕のいい髪結いさんは、

なんぼでもあるからね。とにかく髪結いになったら、タミちゃんまた家族ば背負って

苦労するんでないべか。わだしもそんな気がした。けどねえ、多喜二は言うの。

「結局、道を決めるのはタミちゃんだからな。タミちゃんの自由ば奪うわけにはいかんし

……」

とうとうタミちゃんは、四月には東京に行くことに決めた。それで多喜二は一足先に東京さ行って、家ば捜すべということになった。金の面でも多喜二が面倒みて、髪結いさんの学校ば出してやりたい思いになったんだべし。二人で世帯も持ちたいと思ったんだべし。なんだって、かんだって、多喜二だって二十八だもんね。タミちゃんに手もつけず、ずーっと勉強せ勉強せって、まるで学校の先生みたいに、タミちゃんに本ば読ませてきた。タミちゃんもそれば喜んで、頑張って勉強してきた。多喜二は、

「母さん、おれ、タミちゃんの生きる姿を見てると、希望が湧いてくる。本当に上を見て生きる人間っているんだなと、感激する」

って、よく言ったもんだ。

銀行は馘になったども、本はぞくぞく売れて、三吾が言ったように、多喜二は日本一人気のある小説書きになった。わだしは多喜二に、

「何しろお前は日本一の小説家だから」

と言ったら、多喜二は笑って、

「母さん、この世の中は、いつもいうとおり、いっ時も同じ状態ではいないんだよ。今におれの小説なんか、誰も読まん時がくる」

って言った。

「まさか、お前。日本一が……」

と言いかけたら、

「とにかく母さん、世の中は動いていく。そんな甘いもんではない。第一、おれは日本一なんかじゃない。書くものが読まれてはいるけどね。母さん、日本一なんて言ったら笑われるよ」

って、わだしにそんなことを言っていた。

タミちゃんは、東京に行く前に、ちょっとうちに顔を出したことがあった。突然で何のごっつぉうもしてやれんかったども、湯豆腐の鍋ば、多喜二や三吾たちと一緒に突ついた。

「タミちゃん、わだしはまたいつかみたいに、赤飯炊いて祝いたい気持ちだ」

そう言ったらタミちゃん、持っていた箸をぱちりと置くと、深く深く頭を下げた。あの娘は本当に人の気持ちのわかる、めんこい娘だった。

わだしは本当に、多喜二とタミちゃんに、三三九度の盃を交わさせたい気持ちだったけど、多喜二は、

「まだタミちゃんと正式に結婚するのとはちがう。こんな世の中だ、おれはいつまた警察にひっぱられるかわからん。タミちゃんの気持ちが定まるまで、遠慮しとくよ」

って言ってね、わだしも何が何だかわからなくてね、まあ何だかわからんけど、二人は

東京で、同じ屋根の下に住むということだけは、はっきりしたわけだ。

それでもねえ、多喜二は長い念願の、タミちゃんと一緒に住めるわけだし、出たい出たいと思っていた東京に出られるわけだし、うれしそうだったなあ。でもわだしが淋しがるかと思ってか、

「母さん、母さんば迎えられるようになったら、すぐに手紙書くからね。東京に出てくるんだよ。三吾と一緒に出てくるんだよ」

なんぞと言ってくれたの。そして、とうとう多喜二は三月、タミちゃんは四月に東京さ行ってしまった。多喜二は築港駅から汽車に乗ってね、窓から身を乗り出すようにして、

「母さん、体大事にしてな。いいか、体だけは本当に大事にしてな」

って、私の手を強く強く握ってくれた。汽車が動き出すと、いつまでもいつまでも手をふってね、わだしはあとでタミちゃんも行くし、これからは多喜二もいいことつづきだべと思って、一生懸命手ばふって見送ったの。

そして次の月、タミちゃんも東京さ行った。タミちゃんは小樽の駅から、心細げな顔して見送りに来たおっかさんだの、ちっちゃい妹たちだのを、じっと見つめていた。それでも、多喜二と同じように、わだしの手を握って、

「お母さんも、きっと東京に来て下さいね」

って、いつもの優しい笑顔で言ってくれた。

多喜二は東京の中野という所に家を借りた。多喜二の仲よしの斉藤次郎さんがその頃中野に住んでいて、多喜二はタミちゃんが行くまで、一緒に住んでいたの。そして近所に多喜二の住む家ば捜してくれたんだって。ああ、斉藤さんかね、多喜二とおんなじ小樽高商ば出て、よく絵など描いて、多喜二とは話の合う友だちでね、考えも同じでなかったんだべか。だからわだしは、安心して多喜二ば東京に出してやれたの。

わだしの心づもりでは、来年か再来年には、タミちゃんとの間に子供が生まれて、先ずはお産扱いにわだしが東京に出ていかねばならんかも知れんと、思ったりしていた。

多喜二は小樽を出る前から、

「八月二日の父さんの七年忌には帰りたいと思っている。おれの好きな西瓜(すいか)でも冷やして待っててくれ」

って言ってたもんだから、七月の末には近所の八百屋ででっかい西瓜ば買って、いつ帰って来てもいいように、井戸の水で冷やしていたの。けど、八月二日になっても、三日になっても多喜二は帰って来ない。すると三吾がね、

「帰って来てからまた買ったっていいべや。その西瓜食べてしまうべ」

って言うのよね。兄思いのいつもの三吾みたいではない。多喜二は三日経ってても四日経っても帰って来ない。三吾は相変わらず、

「西瓜食うべ、西瓜食うべ」

って、来る日も来る日も言うのさね。わだしは意地になって、

「あんちゃんは帰ってくるといったら、帰ってくる男だ。帰ってきたら食べらしてやる」

って言ってたども、どうしたわけかもうお盆が来ようとするのに、多喜二は帰って来ないの。

「なんで帰って来ないんだべ」

って三吾に言ったら、三吾は、

「小説書きは忙しいんだべ」

と、あっさり言うの。けどわだしはね、多喜二は、約束したことは必ず守る子だから、来れないなら来れないって、葉書の一本は来ると思っていた。

お盆の十三日になって、このチマと、チマの亭主の佐藤さんがやって来た。佐藤さんは前にも言ったとおり銀行員だべ。暑いのに背広着たまま窓を見て、

「いい夕なぎだ」だの、

「きれいな夕日だ」

なんて言って、なかなかわだしの顔を見ないの。いつもなら線香上げたあと、膝を崩すのに、きちんと坐って、かしこまっているの。

(何の用だべ。もしかしたら、佐藤さんも東京さ転勤になったんでないべか)

なんぞと思っていたら、

「お母さん、実はね、話があるんだ」

と、固くなっていう。

「話? 話って何だべ?」

って、チマのほうを見ると、チマもじっーと自分の膝ば見ている。

(まさか、この仲のいい夫婦が、別れ話でもあるまいし。正直者の佐藤さんが、金ば使いこんだわけでもあるまいし……)

少しわだしは心配になってきた。するとね佐藤さんがまた口をひらいた。

「実はね、実は……多喜二君のことだがね」

と言いにくそうに切り出した。多喜二と聞いて、わだしの胸がどきどきした。

「多喜二!? 多喜二が病気でも?」

多喜二の兄貴の多喜郎が秋田から一人で小樽にやって来て、可哀相にどれほども経たんうちに死んでしまった。それをわだしは思い出した。ところが佐藤さんは手ばふって言っ

た。

「いや、その……五月六月と、何べんも警察に挙げられて、八月には豊玉刑務所に入れられてね、今度はちょっと長くなりそうで……」

聞いてわだしは、体から力がぬけた。みんなは、青くなったわだしの顔を見て、「ああ言わねばよかった」と思ったそうだども、そりゃあ顔が赤くも青くもなるさね。今日は帰るか、明日は帰るかと西瓜冷やして待ってたのに、息子が刑務所に入っていると聞いて、顔色一つも変えんというほど、わだしは強くはない。ただの弱い母親だもの……。そのあと、佐藤さんがなんて言ったもんだか、チマが何と言って慰めてくれたもんだか、三吾もいろいろ言ったようだども、さっぱり耳には入らんかった。わだしは、タミちゃんと二人、初めての東京で、多喜二が楽しく暮らしているとばっかり思っていた。二、三度多喜二から葉書が来てたども、わだしは字が読めんから、

「手紙が来てたよ。元気だよ」

って言われれば、

「そうか、元気でよかったなあ」

と、信じ切っていたもんね。多喜二が、どんな監獄だか知らんども、暑い東京で、ちんこい部屋さ入れられて、どんなに苦しいべかと思った。そんなことも知らんで、すまんか

ったと、胸が一杯になった。こん時わだしは字を覚えねばならないと固く心に決めた。それはともかくいきなり多喜二がひっぱられて行って、タミちゃんはどうしているべと、それも案じられてならんかった。タミちゃんって、ほんとに不幸に生まれついた可哀相な子だと、わだしはつくづく思った。多喜二と知り合って丸七年、何だかんだとあったけど、とにかくようやく二人で世帯を持ったというのに、これはまた一体どうしたということだべ。

タミちゃんは、四月十日に小樽ば発って、東京の多喜二を頼って行った。そしてもう次の月の五月に、多喜二はいきなり警察に挙げられたわけだからね。タミちゃんどんなにぶったまげたことだべ。まだ東京に出て来たばかりで、西も東もわからんような時に、たった一人の頼りの多喜二にいなくなられた。どんなにおろおろしたべ。金はなし、美容の勉強に通わねばならんし、何よりかにより、一から十まで相談していた相手の多喜二が、こともあろうに警察の中だ。

それでもタミちゃん、近所の斉藤さんに相談して、差入れすることだけはしたが、多喜二から手紙がきても、それに返事していいもんだか、悪いもんだか、わからんかった。面会だって、十月になって初めて行ったんだと。

ああ、言い忘れたけどね、タミちゃんの洋髪の学校は、半年だと思ってたら、何でも四

ヵ月ばかりだったとあとから聞いた。タミちゃん、そこさ通ってたのね。タミちゃんは感心な娘だ。洋髪の学校へ行くのに、小樽のホテルで、汽車賃やら授業料やら、ちゃんと積立してたんだと。そこまで多喜二に言われた自立っていうことを守ったんだと。

そしてね、多喜二が捕まってからは、美容学校の寄宿に入って身を守ったんだと。タミちゃん本気で、多喜二の足手まといにならんように、いい嫁さんになろうと、一生懸命だったのね。

四ヵ月で洋髪の学校出たタミちゃんはね、そこで助手で働いていたんだと。でもね、住込みで一ヵ月三円だったと。手に職は持っても、大変なもんだったのね。多喜二は監獄の中でそのこと知って、

「小樽の小林の家に行って、母さんと一緒に待ってれ」

って言ったども、

「多喜二さんが監獄にいるのに……」

って、東京で頑張ってたのね。あとでタミちゃんから、その頃のこと詳しく聞いて、わだし泣けてねえ。あれからもう三十年近くも経っているけど、そのことだけは忘れられないの。

とにかく多喜二は、あちこちの警察をたらいまわしにされた挙句に監獄さ入れられた。

本やら食べものやら着替えやら、差入れせねばならない。読みたいという本ば送ってやらねばならない。けどね、タミちゃんはどこの本屋に行けばその本があるか、それがわからん。金もない。いつもぼやぼやばかりしてたって、タミちゃんは涙こぼして話していた。

　ところが、多喜二の仲間っていうか、友だちっていうか、男やら女やらたくさんいて、特に女の人たちが三人ほど、熱心に毎日多喜二に手紙書いたり、差入れしたり、面会に行ったりしてくれて、タミちゃんがぼやぼやしてるうちに、てきぱきと何でもやってくれた。

　それで多喜二も、さっさとやってくれる女の人に物ば頼む。タミちゃんはその女たちから多喜二の様子を聞いたりする。しかも女の人たちは、多喜二の仕事をよくわかっていて、本も読んでいて、みんな英語なんぞ話の中にぽんぽん飛び出して、一人なんかは、英語ばかりベラベラ話すんだと。タミちゃんにとっては、多喜二がどっか遠くさ行ってしまったような、侘びしい思いだったべなあ。

　そんなこんなでうろうろしていた頃、タミちゃんのお父っつぁんが、小樽で急死した。十二月二十七日だった。怠け者の酒呑みのお父っつぁんでも、少しは手助けになっていたんだべさ。あとに残されたおっかさんと、四人のちっちゃな子供たち、ああこの子たちが二度目の父親の子供でね、この子供らのことを思って、タミちゃんは汽車賃ば斉藤さんにでも借りたんだべか、すぐに小樽に飛んで帰った。何せタミちゃんは長女だからね。葬式

を出す責任がある。どんな思いで小樽さ帰ったかと思うとね、そのしょんぼりした姿が目に浮かんで、今でもわだしたまらんくなるのね。

それはそうと、多喜二は初め、二年は監獄の中で暮らさねばならんと覚悟していたらしい。ところが急に、年の明けた一月二十二日、保釈になった。それが夜の九時半だったと。三吾と斉藤さんと、そしてもう一人壺井栄さんと迎えに出ていてくれたと。なんにも知らないタミちゃんは、葬式の後始末やっていたと。ええ、小樽でね。

タミちゃんは多喜二が監獄から出たことを知って、すぐ下の妹ばつれて、急いで東京さ帰って来た。そのタミちゃんに、多喜二はね、

「正式に結婚してくれ」

って、申しこんだんだって。多喜二は東京さ出て世帯ば持った時、落ちついたらすぐに、斉藤さんにでも立ち会ってもらって、祝言するつもりだったのね。

ところが東京さ出てみたら、仕事のことでいろんな人と会ったり、なんだかんだと忙しくて、「そのうちに」「そのうちに」と思っていたらしいの。けど、ひと月経つか経たんかで、警察さ挙げられた。そして七カ月も監獄に入れられたっきりだった。

多喜二はその監獄ん中で、出たらすぐに式を挙げるべと、固く心に決めて出て来たっていうわけ。

そんときのこともタミちゃんあとで言ってた。

「お母さん、わたしね、小さい時から辛いことばっかりで、思い出すのもいやなことばっかりつづいたけど、あの時はうれしかった。わたしのお父っつぁんが十二月に死んで、四人の小さいきょうだいと、母親に、どうして食べさせてやろうと思っていたのに、多喜二さんは、そんな足手まといな貧乏家族のいることを承知で、式を挙げようと言ってくれた。こんなにありがたい人が、この世にいるだろうか。そうは思ってたけどね、お母さん、多喜二さんのこのたびの刑務所入りで、自分がどんなに多喜二さんにふさわしくないか、よくわかった。わたしは多喜二さんの女友だちのように、多喜二さんの仕事が、どんなに大変なものか、よくわからないで、刑務所にいる多喜二さんの、なんの慰めにも、力にもなれんかった。もしも刑事に何か聞かれても、言って悪いこととといいことの見わけもつかない。こんな女が傍にいては、多喜二さんもおちおち落ちついては働けないでしょう。それに何より、養わなきゃならない家族が、四人も五人もいる。それでなくても、多喜二さんには、まだ女学校に行っている妹さんや、バイオリン修業中の三吾さんを抱えているわけですからね。どう考えても、わたし、多喜二さんを諦めるより仕方ないと思った。力になれないんなら、邪魔になるまいと……それがせめてものわたしの恩返しだと思って、わたしきっぱりとことわったの」

ってねえ、タミちゃんその時のことを思い出して、目を真っ赤にしていた。もしもあん時、多喜二が引っ張られんかったら、二人は立派に夫婦になっていたのにね。そう思うと、どこまで不運な二人だろうと、今でも胸がじりじりしてくるよ。

　こうして、多喜二と夫婦になるのを諦めたタミちゃんは、三月にはすぐ下の妹と二人で料理屋へ奉公に出たのね。本郷に三畳ひと間借りてね。洋髪より料理屋のほうが金になったのね。小樽のおっかさんと四人の妹たちを東京に呼ぶには、そうするより仕方がなかったのね。

　タミちゃんの家族が東京さ出たのとおんなじ七月……ええ昭和七年のね……わだしも東京に出てね、ああ、小樽の店はね、ツギ夫婦に譲ってね……三吾や多喜二と一緒に暮らすことになったわけ。けどね、多喜二の毎日ときたら、忙しいなんていうもんでなかった。小説を書く人が訪ねてくる。ひそひそと何やら客と内緒話をする。その客が帰ると、今度は自分が忙しげに出て行く。満足に揃ってご飯を食べる暇もなかった。

　あれだばタミちゃんと結婚したって、タミちゃんはおどおどするばかりだったべな。あとあとになって考えたら、タミちゃん、多喜二と結婚していなくてよかった。多喜二は監獄で何考えてたか知らねども、その年の十月に共産党に入党した。

　そうでなくても、刑事が来たり、尾行したり、気持ちのいいことはなかったのに、入党

してからは、一だんと家に帰って来ることがなくなった。三吾は素直な優しい息子で、

「母さん、あんまり心配するな。あんちゃんはあんちゃんの考えに従って、きちんと生きてるわけだから」

って、よく慰めてくれたよ。けどなあ、わだし東京さ出て来る時、これからは小樽にいた時と同じように、多喜二と楽しく話ができる、毎日顔ば見れる、と思ったわけだからね。それが、いったん家を出ると何日も何日も帰らない。案じられてならんかった。

(今夜はどこの友だちの家にころがりこんだやら)

(今夜はどんな木賃宿に眠っているんだべか)

(いやいや、また豚箱にぶちこまれているんでないべか)

と、心の安まる暇がないの。夜中に、玄関でがたっと音でもすると、多喜二が帰って来たのではなかべかと、もう心臓どかどかして飛び起きるの。そしてね、

(小説なんぞ、もう書かんでもいい。日本一の小説家だなんて言われんくてもいい。朝晩一緒におまんま食べて、冗談ば喋(しゃべ)って、蓄音機の浪花節でも聞いて、みんなでぐっすり眠りたいもんだ)

ってね、なんぼ思ったもんだか。

多喜二はね、眼鏡かけたり外したり、帽子かぶったり脱いだり、ちょっといい服着たり

悪い服着たり、毎日毎日扮装して、あっちからこっちへ、こっちからあっちへ、歩きまわっていたんだって。

ある日……あれは秋だったかね、三吾の所に、誰か知らん人から、音楽会の券が送られてきて、三吾は、

「聞きたかった音楽会なんだ、これ」

って、飛び上がって喜んだ。しかし、もしかして、スパイからの券かも知れないって、それでも用心しいしい出かけて行ったことがあった。券に書かれたとおりの席に坐ったら、間もなく多喜二がやって来て、傍に坐ったんだと。二人は目と目を見合わせたけど、人には知られんように、知らんふりしていたと。音楽会の最中に、三吾がひょいと多喜二の顔ば見たら、多喜二の目尻から涙が流れていたと。それでも帰る時、

「母さん元気か。母さんば頼むな」

と言って、さっさと三吾ば離れて行ったと。三吾は、

「あの、あんちゃんの肩上がり、目立つなあ。何とかならんもんかなあ」

って、案じていたけど、そんなことがあった。

こんな、逃げ回る生活の中でも、多喜二はずいぶん金のこと心配してくれていたようだった。

「どの小説と、あの小説は、どこの会社から出せ」

とか、

「今書いてる小説が出来上がったら、金が入るから、それでたまっている家賃やら、授業料やら、店の借金の支払いをすれ」

って書いてよこしたりしてね。

そうそう、こんなこともあったっけ。暑い夏のことだった。なんぼか金ば送って来て、

「こんな暑い毎日では、母さんの体が大変だ。この金は、茄子の漬物だけで三日間過ごしてためた金だ。どこか、涼しい所へつれてってやってくれ」

ってね。三吾が読みながら、ぽとぽと涙こぼして、

「あんちゃんったら、自分も金がないくせに……」

って言ってね。むろん、そんな身を削るようなぜんこで、どこにも行けるはずはなかった。けど、あれから三十年、暑い夏がくるたびに、この言葉思い出されて、わだしも三日間ほどは、茄子の漬物だけでまんま食べてみるの。

ああ、三吾のこと言うの忘れてたね。

三吾が東京に出て来たのは、監獄に入った多喜二に、差入れやら面会するためだった。

三吾も斉藤さんの家には世話になってね。この三吾に、監獄から出た多喜二はバイオリンの先生ば捜し始めた。多喜二には、大原泉さんだの、関鑑子さんだの、親切な女の友だちがいて、確かその人たちが、バイオリンの先生を捜してくれたんだな、な、チマ。何ていう先生だったべ？

何？　作曲家の橋本国彦先生？　そうそう、橋本先生、橋本先生。その橋本先生って一流の先生だってな。そのいい先生について、三吾も第一バイオリンとかいわれる腕になったんだってな。

とにかく多喜二は、自分が刑事に追っかけられながら、親きょうだいのこと、タミちゃんの家族のこと、いろいろ心配してたわなあ。

ああ喋った喋った。こったらに喋ったこと、あとにも先にもないべな。このあたりからあとは、思い出したくもないことばかり。

チマ、お茶でもうまく淹れて、ぼた餅ば勧めて上げろ。あーあ、わだしも、いつのまにか八十八にもなってしまった。チマも六十だもな。

多喜二が死んだのは昭和八年二月二十日で、わだしが六十一の時だった。へえー、このチマの齢と、あん時のわだしの齢と、おんなじぐらいだったかねえ。多喜二は三十だった。

あん時殺されなければ、今年は五十七か、まだまだ若いもんだ。もう少し頑張って喋るべか。

多喜二はなあ、折角ここまで聞いてもらったんだ。もう少し頑張って喋るべか。

多喜二はなあ、タミちゃんに結婚ば断られて、ずいぶんと参ったらしい。むろん、監獄から出て十日も経たんかったわけだから、監獄での疲れもあったべけど、多喜二はわだしに、

「参った、参った」

と、小樽に来た時言ってたもんね。

ああ多喜二はね、タミちゃんに出て行かれて、わだしば東京に迎えようと、相談に帰って来たの。そして七月の末に、杉並の馬橋に家ば借りて、斉藤次郎さんの所にいた三吾と、わだしの三人暮らしが始まったの。家はね、八畳と六畳と三畳の平屋だった。んだ、家の裏に竹藪があった。ちょっぴりだども空地もあって、ネギやらニラやらおがっていたっけ。

あの時はまだ、多喜二もうちで飯食うことが何度かあって、楽しかったなあ。わだしらが東京に出て来た十日前に、タミちゃんのおっかさんも、ちんこい子四人引きつれて東京さ出て来たこと、もう話したべか。何せ、ちんこい四人の子供と、母親と、タミちゃんと、大きい妹の七人暮らしだ。こりゃ大世帯だよ。

しかもおっかさんが病気になってなあ、何の働きもできん。たった二十三のタミちゃん

が、一人がんばって、今度は鳥料理屋に通いで勤めた。それでもすぐの妹がフランス料理屋に勤め、タミちゃんば助けた。でも、ぎりぎりの生活だったなあ。

多喜二はなあ、優しい子だから、結婚は断られても、タミちゃんどうして暮らしているべかと、時々訪ねて行っていたようだ。自分の仕事だけでも大変なのに、多喜二は、七人の世帯を背負っているタミちゃんが、いじらしくてしようがなかったのね。

でもね、何べん訪ねて行っても、運わるく遅番の日にぶつかって、滅多にタミちゃんの顔は見れんかったと。あんなに短い命で終わるもんなら、もっとたびたびタミちゃんに会わせてやりたかった。

ところでなあ、わだしはなあんも知らんかったが、多喜二はタミちゃんに断られてから一年経った昭和七年の四月に、嫁ばもらっているんだよね。そうそう伊藤ふじ子って言ったっけね。そのことわだしが聞いたのは、もう多喜二が死んでからだったども、びっくらしたなあ。

多喜二がタミちゃん以外の女に心を向けるなんて、想像もできんかった。けど、よくよく聞いたら、その伊藤ふじ子って娘も、気の毒な目にあってるのね。何でも絵の学校ば出て、絵やら刺繍の仕事をしてたってことだ。そして、逃げまわってる多喜二を助けてくれたんだって。そのふじ子ってひとも、仲間だったのかねえ。

結婚した翌年、正月に十日ばかり、警察に引っ張られているの。そのひと、勤め先が馘になった時、その退職金ば、人づてに多喜二に届けてくれたって聞いた。もしタミちゃんが多喜二と一緒になっていたら、どんな目に遭わされたか。

結婚したっていったって、一年も経たんうちに多喜二は死んだ。二人が一緒に住んでた日が、何日あったか。さあ、式ば挙げた話は聞いてないの。式どころじゃなかったべ。いつだかっだなしに尾行され、逃げまわっていたわけだもの。

ああ、死ぬ前の年な、つまり昭和七年の九月の中頃だった。チマが、養女の和枝ばつれて東京さ来た。そん時、わだしと三吾と、チマと和枝と、多喜二の五人で、夕飯を食った。山中屋っちゅう果物屋があってな、小ぎれいな喫茶店ばやっていた。そん時、何ば喋ったべか、何ば食ったべか、すぽっと忘れてしまった。ただ、警察の目ば恐れて逃げ歩いている多喜二の、痩せこけていた頰ばかり見ていたような気がする。何もわからん三つの和枝は、時々うれしそうに声上げて笑ってた。チマも三吾も、わだしとおんなじ思いだったべか、人が店に入ってくると、ハッとして、うしろばふり返ったり、反対に笑ってみたり、只、はらはら、はらはらしていたっけ。

三十分とあの場にいたったべか。でもな、多喜二はおどおどする様子はなく、笑顔が明るかった。

「社会の幸せば考えて生きているんだから、おれたちは明るいんだ」

って、低い声で言っていたが、ほんとに明るい笑顔だった。心配性のわだしに心配させまいとして、明るくしていたのかも知れないけどな、あれがわだしの、生きてる多喜二を見た最後だった。

これもあとから誰かに聞いた話だども、いつも草履ば押入れさ隠しておいて、不意に襲われたら、それば履いて裏から逃げると言ってたそうだ。そう言えば、馬橋の押入れにも、真新しい藁草履があったもんだが、多喜二はわだしには、逃げる時の用意だとは言ったことはなかった。

多喜二がふじ子ってひとと一緒に住んでた時、近所に警官が移って来てね、多喜二は風呂に行く時それば知って、あわてて風呂にも入らず逃げ帰って、雲隠れしたって聞いた。そん時は逃げて助かったども、どうしても助からん日がやって来た。可哀相に、わだしがその場にいたら……いたって、何の役にも立たんども、馬鹿なもんだ母親ってもんは。子供を守るのが母親だ、いや母は子供を守らねばならんと、その子を生んだ時から思いこんでいるもんだ。何にもできんくても、傍にいてやりたかった。

第六章　多喜二の死

昭和八年二月二十日は、何たる悪日であったべ。雲の薄い、妙に底冷えのする日でね。わだしは床の中で目を覚まして、

「神さま、仏さま、今日も多喜二ば守って下さい」

と、いつものように心の中で念じながら、多喜二の姿を思っていた。

ところが不思議なことに、いつもなら多喜二の笑顔が胸に浮かぶのに、あの朝に限って、多喜二の肩上がりのうしろ姿が、遠ざかって行くのが目に浮かぶ。何となく、いやあな気持ちがした。

やっぱり虫の知らせというものが、この世にはあるんかねえ。今でもあの時の不吉な、っていうか、不安なっていうか、胸騒ぎのするような、いやあな心持ちをはっきりと思い浮かべることができるの。

わだしねえ、そん時、ふと思った。もしかしたら、多喜二は今日、この家に立ち寄るのではないべかとねえ。逆夢(さかゆめ)っちゅうことがあるから、逆幻(さかまぼろし)っちゅうこともあるんではない

べか、そんなこと思ったら、何だかほんとに多喜二が、ひょいと裏口から入ってくるような気がして、少し気持ちが明るくなった。

そしてわだしは、多喜二の好きなぼた餅をつくるべえと、小樽から送って来た小豆ば水にうるかした。

馬鹿なもんだねえ。わだしは何も知らんかった。多喜二はその日の昼過ぎに、警察の手に捕まっていたなんて。何にも知らんかったからねえ。ひょいひょいと窓のほうを見たり、玄関のほうを見たり、裏口のほうを見たりしながら、わだしはぼた餅の用意ばしていた。

……もう三十年も経ったことだけど、やっぱり思い出すのは辛い……あとからみんなに聞いた話だけどね、党の仲間に三船って男がいたんだと。この三船が多喜二に何かと親切にしてくれて、多喜二も信用し切っていた。ところが、それが警察のスパイだった。何も知らねえから、その日も赤坂の小料理屋で待ってるって三船に言われて、多喜二は約束どおりその小料理屋に顔を出した。それも変装してね、大縞の着物着て、二重マント着て、ロイド眼鏡かけて、ソフトばかぶって、三船が待ってるっちゅう約束の店に入って行った。ああ何でそったらとこさ入って行ったべ。思っただけで、胸が張りさけそうだ。その店にはなあ、三船って男は、いなかったと。そしてその代わり、警察の刑事たちが、ぞろっと待っていたと。ぞろっとなあ。

そして多喜二は捕まった。ずいぶん逃げたそうだども、逃げ道にも刑事が張りこんでいて、逃げ切れんかった。服でも着てりゃよかったのにと、三十年経った今でも思うのねえ。愚痴だねえ、くり返しそう思うの。

わだしねえ、前の年の十月に、チマや三吾や、多喜二と果物屋の喫茶店で、夕食食べたって言ったべさ。

あのあとね、二、三日してからチマと一緒にわだし小樽さ帰ったの。小樽では雪虫が飛んでいた。東京の家では気の休まることがなくて、少し元気出すべと思ってなあ。けど、やっぱり逃げまわってる多喜二が、もしや馬橋の家に帰ってこないわけでもないと思うと、そうゆっくりもしていられない。ツギの息子の昌久(まさひさ)が二つだったども、わだしになついて、

「ババと行く、ババと行く」

って聞かねえから、おんぶして杉並の馬橋さ戻って行った。昌久がいれば、気も紛(まぎ)れると思ったんだねえ。

「正月迎えてから行けばいいのに」

って、チマもツギも言ったども、わだしは昌久ばおぶって、さっさと馬橋さ戻った。幸いわだしの留守中、何も変わったことはなかったようだ。

その昌久のおかげで、多喜二が殺される日まで、何とかかんとか元気ば出して、近所の針仕事だの、使い走りだのしていたの。

二月二十日のその日、多喜二はやっぱり家さ来んかった。来るわけないよねえ。多喜二は……多喜二は……警察に捕まってから何時間もしないうちに、殺されていたんだからね。

そうとも知らんで、陰膳据えて、

「多喜二、ぼた餅食え。うまいぼた餅だぞ」

なんて独り言いっていた。

そしてその晩わだしは、

(寒い夜だこと)

と思いながら、布団の中で足ば縮めていた。わだしの胸の中で、すやすや眠っている昌久が、わだしの体ばあっためてくれた。多喜二のちんこい頃思い出して、わだしはそっと昌久の足さわったり、手さわったりしたども、どこもすべすべだった。多喜二もすべすべの、傷ひとつない体だったになあ。

次の日、わだしは昌久の守りをしながら、近所から頼まれた敷布団のかわば縫っていた。するとね、四時頃だったべか、五時頃だったべか、隣の家の夫婦が、ころげるように家さ飛びこんできた。顔色が変わっている。

「どうした⁉ 何か起きたか」

わだしはてっきり、隣の家に空巣(あきす)でも入ったかと思った。ところが隣のご主人が、

「いいかね、おばあちゃん、心をしっかり持って、聞いて下さいよ」

と言った。わだしは、はっとした。

「何か、多喜二のことでも……」

「そうです！ 小林多喜二さんは、おばあちゃん、築地(つきじ)の警察署で亡くなりました。これ、この夕刊見て下さい」

夕刊ば見せられたって、わだしは仮名しか読めない。けど、小林多喜二という字は読めた。あいにくとその日は、三吾は留守で、夜十一時過ぎに帰ると言っていた。

「多喜二が死んだ⁉」

わだしは、全身の血が足の裏から脱けていくのを感じた。

「そんなはずはない！」

わだしは思わず叫んだ。あの孝行者の多喜二が死ぬはずはないと、わだしは本気で思った。

あんな時、たった一人で辛(つら)い知らせを聞くのは、応(こた)えるもんだ。だが、辛い知らせを聞く者より、死んだ多喜二のほうがなお辛い。わだしはね、今考えると、ふしぎなほど取り

乱しもせず、隣の人に、親戚への連絡を頼んだり、針箱に針を入れたり、孫の昌久ば背負って、ねんねこをその上にきちんと着たりして、とにかく築地警察に駆けつけた。わだしは東京に出て以来、よく一人で歩きまわることが好きだったから、銀座へ行く道だの、青山に行く道だの、よくわかっていた。

（多喜二が死んだ）

わだしは胸ん中でくり返しくり返し呟きながら、電車ば下りて築地署のほうに歩いて行った。けど涙は出ない。ただ、腹が立って、腹が立って、それでいて、しーんと腹が静まり返っていた。まるで、死ぬのを覚悟で、たった一人敵陣さ乗りこむ気持ちだった。

え？　そん時昌久はどうしていたかって？　さあ、全然覚えがない。おんぶすると機嫌のいい声をする子だけど、昌久もじーっと黙っていたような気がする。

築地署に近づくと、巡査だか党の人だか沢山立っていた。まさか母親のわだしが、孫ばおぶって、ねんねこ姿でやってくるとは、誰も想像もしなかったらしい。呆気にとられていたそうだ。

わだしが署に着くと、その頃秋田から出て来ていた親戚の小林市司が、ちょうどそこに駆けつけて来た。築地署には人がごちゃごちゃいたみたいだけど、わだしと市司の二人だ

けが、特高室に入っただけで、人々には会わしてくれんかった。

わだしはただ、多喜二に会いたかった。わだしがこうやって、傍まで来てるのに、抱いてもやれんのが辛かった。多喜二は何でも警察の裏の前田病院に運ばれて死んだというから、早くその病院につれて行って欲しかった。きんきん耳鳴りして、ぎりっと嚙(か)みしめてきた奥歯が妙にこわばっていた。

ずいぶん待たされたあと……午後九時だったそうだが……わだしと市司と、たくさんの刑事たちと、警察の裏口から、前田病院さ向けて歩いて行った。特高の一人が猫なで声で、

「道が悪いから、足もとにお気をつけ下さい」

なんて言うの。すると今までしんと静まり返っていた腹が、急に煮えくり返るような思いになった。だども、わだしは黙りこくったまま、前田病院まで来た。

それからまたしばらく待たされて、とうとう寝台自動車がやって来た。まさかなあ、多喜二の死体と一緒に自動車に乗るなんて、夢にも思わんかった。わだしは、自分が悪い夢でも見ているような、奇妙な気持ちだった。その自動車の中のことは、ただ暗い闇路(やみじ)を歩いているようで、よく思い出せん。

馬橋の家に着いた時、斉藤次郎さんやら、寺田さんなど、小樽の頃からの友だちが飛び出して来た。それを見た時、わだしは初めて、わっと涙が噴き出して来てなあ。

布団の上に寝かされた多喜二の遺体はひどいもんだった。首や手首には、ロープで思いっきり縛りつけた跡がある。ズボンを誰かが脱がせた時は、みんな一斉に悲鳴を上げて、ものも言えんかった。下っ腹から両膝(りょうひざ)まで、墨と赤インクでもまぜて塗ったかと思うほどの恐ろしいほどの色で、いつもの多喜二の足の二倍にもふくらんでいた。誰かが、

「釘(くぎ)か針かを刺したな」

と言っていた。

……ああ、いやだ、いやだ、あの可哀相な姿は思い出したくもない。思い出したからって、どうしてやりようもない。

よくまあわだしは、気絶もしなかったもんだ。それどころかその時わだしはこう言ったんだと。

「ほれっ！　多喜二！　もう一度立って見せねか！　みんなのために、もう一度立って見せねか！」

ってね。多喜二のほっぺたに、わだしのほっぺたばくっつけていたと。わだしは多喜二が死んだと思いたくなかったのね。ほんとに生き返って欲しかったのね。

けど、多喜二は死んだ。指はぶらんとするほど折られても、足はぶすぶす千枚通しで刺されても、多喜二は、守らねばならない秘密は守ったんだと。そう言って、党の人たち、

みんなほめてくれたの。でも、ほめられんでもいい。生きていてほしかった。

通夜やら葬式に集まった人たちは、ほとんど警察さ引っ張られて行った。普通の葬式とはちがうでっかい葬式も、三月十五日にはやってくれた。けど、これに出てくれた人もまた、ずいぶんたくさんの人が、豚箱さ入れられたって話だ。多喜二があれだけ苦しめられても、まだ引っ張らねばならなかったんだべか。死んだ多喜二にめんじてやれなかったもんだべかなあ。

通夜の前の晩、いろいろな友だちやら、偉い人たちが集まった中に、タミちゃんと妹のミッちゃんも来ていたっけ。

死んで多喜二が帰った次の日が通夜でね。通夜には、わだしと三吾のほかには、三人の、たった五人だけだった。女も男も、みんな留置場に入れられてしまったから。とにかく、弔問者はみんな引っ張られたわけなの。それでもタミちゃんは、葬式には出ることができたよ。タミちゃんの泣いてた顔今でも忘れない。

けどなあ、ラジオでも新聞でも、死因は心臓マヒって発表されたけど、あれだけは嘘だ。あれだけ内出血ば起こせば、腹ん中だって、胸ん中だって、血だらけだべ。どうしたわけか、どこの医者も解剖してくれんかったんだって。もし心臓マヒでなければ、誰かが殺したっていうことになるわけだべからなあ。

あれから、かれこれ三十年、多喜二の死んだあとは辛かったなあ。海を見ても、山を見ても、人に会っても、何をしても多喜二が思い出される。海を見れば、一緒に浜辺で流木ば拾ったことを思い出すし、褌（ふんどし）ひとつで、ずいぶん遠くまで泳いで、わだしばはらはらさせたことを思い出す。あんなに遠くまで泳いだ子が、心臓マヒで死ぬなんて、信じられるべか。

山を見たら、山をよく絵に描いていたのを思い出す。

「おれは絵描きになりたかった」

って、高商に行ってた時、よく言ってたもんだ。

タミちゃんに会えば、タミちゃんに逃げられ、泣きながら捜しまわっていた多喜二の姿が思い出されてなあ、たまらんくなる。わだしはこんなに愚痴っぽい人間だったんだべかと、自分でも驚くほど、くり返しくり返し、多喜二のことが思われてなあ。いつの間にやら、

「多喜二、苦しかったべなあ」

「多喜二、せめて死ぬ時だけでも、手を握っていてやりたかった」

「多喜二、わだしはお前を生んで、悪いことしたんだべか」

とか、

「多喜二、お前、死んでどこさ行っているんだ」

　とか、独り言言っているの。

　多喜二が死んでから、わだしはいつのまにか、

（神も仏もあるもんか）

　という気持ちになっていた。ほんとに神さまがいるもんなら、多喜二みたいな親思いの、きょうだい思いの、貧乏人思いの男が、あんなむごい死に方をするべか。たとえ警察で誰かが多喜二を殴ろうとしても、首ば締めようとしても、錐で足ば刺そうとしても、神さまがいるならば、その手ば動かんようにして、がっちりとめてくれたんでないべか。それを見殺しにするような神さまだば、いないよりまだ悪い。わだしは腹の底からそう思ったもんね。

　もしわだしが神さまだば、神通力で多喜二ば助けてやった。子供の時から貧乏に苦しめられたタミちゃんちに、金をどっさりくれてやった、なんて本気でそう思ったの。

　わだしはこの世の理屈はわかんない。多喜二がどんなことを考えていたか、よくわかんない。けど、あんなにむごたらしい死に方をしなければなんないほど、それほど悪党だとは、どうしても思えない。悪党がひどい目にあって死ぬんならしようがない。自業自得ってやつだからな。

けど、朝に夕に、わだしのような母親に優しい声ばかけて、死ぬまで家族の生活費のことば心配してくれた多喜二が、あんな目にあわんでもいいべ。いったい、誰が多喜二をあんな目にあわせていいと言ったのか、わだしは知りたかった。それが神さまだば、わだしは神さまなどいらない。絶対にいらない。

毎日、そんなこと思って、神も仏もあるもんかと泣いてたから、前掛けもすぐにぐしゃぐしゃにぬれて……今でもあの涙にぬれた木綿の前垂れの手ざわりが思い出される。

「神も仏もいるもんか」

と言ったわだしだども、わだしは小さい時から、神さま仏さまにはよく手を合わせた人間だった。わだしのおっかさんは、よくわだしに言って聞かせたもんだ。

「おセキ、日本にはな、やおよろずの神さまがおいでになってな。便所には便所の神さま、かまどにはかまどの神さま、山には山の神さま、海には海の神さま、どっち向いたって神さまばかりだ。粗相のないように、鳥居の前では必ず手を合わせたり、お辞儀をするもんだ」

何度も何度もそう言われて育ったから、わだしはどこさ行っても頭ば下げていた。そして思ったもんだ。

(こったらにたくさん神さまがいれば、まちがいなくわだしを守ってくれる。ひとりやふ

たりの神さまが忘れても、やおよろずの神さまがいるんだもの、安心なもんだ）

ってね。ほんとに安心して手を合わせてきたもんだ。そのわだしが、

「神も仏もあるもんか」

と、口に出して言うようになったんだから、大変な変わりようだ。それでも、つい習慣で、おまんまを頂く時、手を合わせて、

「神さま仏さま、頂きます」

って言ってしまったりしたが、気がついては、

「何が神さま仏さまか」

と、荒々しい気持ちになってねえ。

どこの親だって、わが子は可愛い。わが子ほど可愛いものはない。命ば代わってやりたいほど可愛いもんだ。子供に死なれるって、ほんとに身を引きちぎられるように辛いもんだ。まして多喜二のように死なれては、わが身ば八つ裂きにされたような辛さでねえ。しばらくは飯も食いたくなかった。夜も眠られんかった。いつもいつも、

「おばば、おばば」

と、わだしの膝に寄ってくる孫の昌久でさえ、わだしの傍に寄りつかんようになった。どんなに恐ろしい顔をしていたもんだか。どんな辛い涙を流していたんだべ。たった二歳

の子が、傍にも寄れんかったなんて、それこそ地獄だわねえ。

　今考えると、わだしは母親なんだ。多喜二ひとりだけの母親ではない。三吾や、幸(ゆき)や、ツギやここにいるチマの母親でもあったわけね。これらの息子娘たちだって、どんなに辛い思いをしたもんだか。

　戦争が終わって、十何年も経(た)った今では、共産党を牢屋(ろうや)にぶちこめなんていう人は、どこにもいない。党員になっている人もたくさんいる。けどなあ、昭和八年のあの頃は、共産党といえば、まるで火付けか強盗みたいに、みんなに嫌われた。嫁に行ったチマだって、幸だって、そんな世の中で、どんなに辛い思いをしたべ。三吾だって、胸ば張って多喜二の弟だとは言えんかったべ。けど、きょうだい誰一人だって、多喜二を嫌った者はいない。みんな多喜二が好きだった。ちんこい頃から好きだった。みんな、

「あんちゃん、あんちゃん」

と、なついていた。だから死なれて悲しいのはわだしばかりではなかった。わだしはそこに思いがいかんかった。さぞかしチマも三吾も、わだしの嘆く姿ば、はらはらしながら見ていたべ。下手に慰めることもできなくて、さぞかし辛い思いをしていたべな。すまんかったなチマ。

けどなあ、不思議なことに、小樽の若竹の人たちも、チマの住んでいた朝里の人たちも、誰一人うしろ指ささなかったと、あとから聞いた。またこのチマのつれあいの佐藤さんが大きな網元で、人々に親切なことで評判なんだ。今もお寺の檀家総代をやってるくらいの人だからねえ。誰もうしろ指もさす者はなかったべけど……それにしても、辛い辛い思いをしたべなあ。

ところで、このチマはね、お寺の檀家総代の嫁だけど、小樽のキリスト教会に、ずーっと通っているの。それはわだしの亭主の末松つぁんの慶義あんつぁまが、早くから教会に行っていてなあ。ま、何かと教会の役についていたの。慶義あんつぁまの息子らも教会さ行ってたもんだからね。チマもついつい教会さ深入りするようになったんだべなあ。

ああ、多喜二もたまに教会さ顔出したことがあった。高商さ行ってる時だったかなあ、銀行さ行ってる時だったかなあ。そうしょっちゅうは行っていなかったども、聖書ば熱心に読んでたことがあったと、このチマが、あとになってわだしに話してくれた。

多喜二がよく、タミちゃんやきょうだいたちに、

「光は闇に輝く」

と言っていたっけが、これは聖書からきた言葉だって、これもチマから聞いた。

わだしはねえ、なんぼしてもわからんことがあった。多喜二がどれほど極悪人だからと

言って、捕えていきなり竹刀(しない)で殴ったり、千枚通しで、ももたばめったやたらに刺し通して、殺していいもんなんだべか。警察は裁判にもかけないで、いきなり殺してもいいもんなんだべか。これがどうにもわかんない。

こんな場合、警察のしたことは人殺しっちゅうことにはならないんだべか。わだしは、法律っちゅうもんが、どんなふうになってるもんだか知らないけど、警察で悪いとみたら、誰でも彼でも殺していいとは、何としても考えられない。

あの多喜二が死んだあと、わだしはしばらくの間、真夜中にふーっと布団の上に起き上がる癖があったらしいの。今でも三吾がその時のことを話して、

「ひょいと見ると母さんが、すーっと布団の上に起き上がってるの。そして何やらぶつぶつ喋(しゃべ)ってるの。あれは無気味だったなあ」

ってね、よく言ってた。んだべなあ。寝てると思ってたわだしが、すーっと起き上がって、ぶつぶつものを言ってたら、こりゃあうす気味悪かったかも知れないわね。

でも、あの頃のわだしは、幽霊みたいなもんだったからね。昼でも、どこ見てるかわからん目付きしてたべし、急に涙ぽろぽろっとこぼしたりして、

「どうしたらいいべ」

とか、

なんぞと言ってたわけだからね。ほんとにあの頃のわだしときたら、時々風呂(ふろ)に入って、自分の胸が、よくも二つに割れていないもんだと、眺めたことが何度もあったっけ。

「可哀相になあ、多喜二」

え？　多喜二が死んだあと、どこにいたかって？　わだしは三吾と一緒に五年は東京にいた。三吾は東京でバイオリンの先生についていたから、小樽に帰るわけにはいかんかった。わだしはわだしで、このチマが小樽さすぐ戻って来いって言ってくれたども、多喜二の死んだ東京から動きたくなくてなあ。東京の家にいれば、多喜二が今にもすっと入って来るようで、玄関の戸なんか、いつも開けっ放しにしてたもんだ。

どうしてあんな気持ちになったんか、多喜二の殺された築地の警察の前さ行ったこともあった。警察のそばでぼんやり立ってるとね、ヤアーとかオーとか、大きな掛け声で剣道の稽古(けいこ)してるの。その声が聞こえるの。竹刀と竹刀のぶつかる音が、でっかくひびいてね、多喜二はあったらおっかない竹刀で、ばんばん殴られたんじゃあるまいか、と思うと、おんおん泣きたくなってなあ。何でこんな所さやって来たべと、悔いたこともあった。

それからなあ、わだしはよく東京ん中を一人で歩きまわった。三吾がな、

「母さん、本も字も読めんのに、よく道がわかるなあ」

って呆れてたども、

「江戸時代の人たちだって、字なんか読めなくとも、街ん中どんどん歩いていたべさ」

って答えたら、三吾は、

「なるほどなあ」

って感心したもんだ。道を覚えるには、ここにでっかい呉服屋があるだの、ここに屋根のとんがった時計屋があるだのって、建物の様子でわかるもんだ。

わだしが東京の街ばあちこち歩いたのは、多喜二がこの東京のどこば逃げまわって歩いたかなって、そう思ってな。そう思うと、その辺のごみごみした小路だの、柳の木の下だのに、多喜二の姿が見えるような気がしてな。母親なんて、馬鹿なもんだ。どの道行っても、

（多喜二はこの道通ったべか）

（ここを走って逃げたべか）

（あの塀の陰さかくれて、刑事ばやり過ごしたべか）

なんて、思っても詮ないことを思うのね。まるで、多喜二が生きてた時、わだしも一緒に歩いたみたいな気になることもあった。

（ああ、あの汁粉屋に多喜二は入ったべな）

と思って、わだしもふらふらと入ってみたこともあった。なんて馬鹿な奴だと思うべな。けどな、三吾と二人っきりの、あのちんこい家に朝から晩まで、じーっとしてはいられんかった。なんぼ針仕事が好きだからって、一日誰とも口を利かずに縫物してたら、頭ん中は、あの死んだ夜の、でっかい丸太ん棒のようになった多喜二のどす黒い腿だの……そんなものばっかり思い出されて、たまんなくなるの。家にいるよりはまだ、外ば歩きまわったほうが、少しは気が楽だ。

しかしまあ、よく気も狂わんと生きてたもんだなあ。何度死にたいと思ったことがあったかわからんども、三吾が帰って来て、冷たくなったわだしを見たら、どんなに悲しむべと思ってな。

(わだしは多喜二だけの母親ではない)

そう何度自分に言い聞かせたもんだか。

何？　夢ば見たかって？　ああ見た見た。夢ば見たどころの話じゃないわね。そうだなあ、多喜二が死んで五年がほどは、多喜二の夢ば見ない日は一日もなかった。寝てもさめても、多喜二のことは身に沁みついていたんだなあ。

赤ん坊の頃の多喜二が、部屋の隅から這って来て、卓袱台の縁につかまって、一人で立ち上がって、うれしそうににこっと笑った顔の可愛い夢も見た。小学生の多喜二が鞄ばが

たがたいわせて、若竹の店先で、

「母さん、ただいま」

と、それはそれは、ほんとにはっきりとした声で言った夢に思わず、

「お帰り」

って言ったら目がさめたことだの、窓際の机に向かって、一生懸命小説ば書いてる姿見て、

「お、なんだ、生きていたのか」

って肩に手ばかけたら目がさめたりな。

「生きていたのかっ！」

って叫んだ夢はなんぼ見たもんだか。道の真ん中を大手をふって歩いて来るのを見て、胸ばどかどかさせて、

「生きていたか、あんちゃん！」

と叫んだら、だんだんその姿が融けるように消えてって、なんぼがっかりしたもんだか。

多喜二がタミちゃんと二人でごそごそ喋（しゃべ）ってる夢も見た。小路から小路に、特高に追われて逃げて来る多喜二に、

「こっちさ来い！　早くこっちさ来い！」

と叫んだ夢も見た。

多喜二の手が、ひょいとわだしの肩におかれて、

「じゃ、行って来るからな」

って、にこっと笑う多喜二にしがみついたら、ちゃんと体があるの。わだしは気がふれたように、

「多喜二！　お前生きてるんだな！　生きてるんだな！　夢でないんだなっ」

って、その体に本当にこの手でさわった夢もみた。

「生きていた！」と胸とどろかした夢を見たあとは、悲しいの、淋しいのなんていうもんじゃない。三吾に聞こえんように、布団ば頭からかぶって、声を殺してなんぼ泣いたもんだか。

起きてる時は、多喜二を思い、眠ってる時は多喜二の夢を見、ほんとに切ない年月だった。時には、多喜二が警察でぶっ叩かれている夢ば見たり、五寸釘ば足にぶちこまれて、血が飛び散っている夢も見た。そんなあとは、何とも哀れでな。せめてひと思いに、包丁で刺されて死ぬとか、鉄砲弾丸に撃たれて、すぐにばったり死ぬとか、そんなふうに死なせてくれんかったもんかと、夜の明けるまで、まんじりともせずに、思ったもんだ。

三十年近く経ったこの頃でも、多喜二が玄関から入って来る夢だの、わだしの隣でご飯

食べてる夢だの、

「タミちゃんところへ行ってくる」

なんて、照れたように笑って出て行く姿だの、月に何回かは見る。

けどな、不思議なもんで、あの惨たらしい死体になった夢や、拷問されている夢は、あんまり多くは見んかった。笑顔の多い子だったから、夢の中でもニコニコと笑ってることが多いのね。

夢って、いったい何だべな。それでも夢にでも現れてくれれば、そりゃあ泣いたり辛かったりしても、やっぱりほんとうに会ったような気が半分はして、慰められるもんだ。これ、絶対夢を見ないもんだら、淋しいもんでないべかね。

世の中には、いろんな悲しい思いをしてる人があるべな。そりゃあ、重い病気で死なれたり、苦しんで死なれたり、自殺されたり、人に殺されたり、海や山で災難に遭ったり、いろんな死に方はあっても、多喜二ほど惨たらしい死に方をした息子ば持った人は、そう多くはいないべな。

何だか話が愚痴っぽくなって悪かったね。ふだんわだしは、他の人にも、子供たちにも、こったら愚痴をこぼしたことはない。でも今日は、ほかならぬあんたさんに、多喜二の話をしてくれって言われたから、思い切って甘えてみた。

そうそう、タミちゃんね、あのタミちゃんはなあ、小樽からつれて来たおっかさんに病気で寝こまれる、ちんこい四人の妹たちを育てるのに金はかかる。それで多喜二と結婚するのも諦めて、料理屋の仲居に通っていた。この貧乏は、多喜二が死んでも同じだった。おっかさんの看病と、妹たちの世話と、仲居の仕事と、くるくるとよく働いたもんだ。けどそんな中から、多喜二の命日の二月二十日には、時間ばやりくりして、必ずお参りに来てくれたの。お供えする物を買う金もなくて、饅頭一つでも大事に抱えて、お供えに来てくれたの。そしてなあ、わだしば見ると、ポロポロッ、ポロポロッと涙こぼしてな、

「多喜二さんが見ていてくれるよ、がんばろうね」

って言ってくれるの。その声のやさしいったらやさしいったら、その目のいろの愛らしいったら愛らしいったら、わだしはつくづく、タミちゃんは多喜二の残して行ってくれた宝だと、今日までずっと思ってきた。

タミちゃんはな、この三十年近い月日の中で、只の一度だって、多喜二の祥月命日を忘れたことはない。嫁入りしてからは、立派な菓子折だの、お花だの、送ってくれてる。

今年の二月二十日にも、東京の文明堂のカステラば送ってくれた。

ああタミちゃんの嫁入りのことまだ言わんかったべか。タミちゃんはなあ、ほんとに心

から多喜二ば好きだったなあ。いや、好きなだけでない。尊敬してくれてた。その気持ちは今も変わんない。

でもなあ、人間生きていくってことは、大変なことだ。病気のおっかさんと、小っちゃな妹たちの面倒をみて、仲居をしていたタミちゃんの姿は、誰にもいじらしく見えたべな。そのタミちゃんば助けてくれる人が現れた。底なしの貧乏暮らしに、タミちゃんも疲れてた。一家心中一歩前だったらしい。その助けてくれた人は、仏さまみたいな立派な人で、なんでも東京で、大きな仕事をしていると聞いた。

そしてタミちゃんば、嫁さんに迎えたいという話になった。タミちゃんがわだしに相談に来た時、わだしは言ったの。

「それはな、タミちゃん。神さまのお助けだ。神さまがタミちゃんのために捜してくれた婿さんだ。多喜二とはきっぱり別れてるわけだし何の遠慮も要らん。多喜二だって、この話を聞いたら、どんなにほっとすることか」

そう言って賛成したの。

こうしてタミちゃんは立派な奥さんになったの。何せ多喜二が死んで十年近くなっていたからねえ。いつかタミちゃんは、

「多喜二さんのこと考えたら、わたし一人幸せになって申し訳ない」

って、ハンカチで目ばおさえていた。

そう、戦争中だった。タミちゃんの旦那が、兵隊に取られねばいいと、三吾とよく心配したもんだ。んだ、アメリカとも戦争おっぱじめたりしてたからね。

戦争っていえば、三吾も教育召集で、旭川の軍隊さ行った。けどねえ、多喜二の弟だということは誰も知らんかった。ただ、同じ召集兵仲間が、

「小林、お前小樽の出身だな。小樽の小林と言ったら、小林多喜二と何か関係あるのか」

って、小さな声で三吾に聞いたことがあったんだと。三吾は、ニコニコ笑って、

「兄貴かも知れねえな」

って言ったら、冗談言ったと思って、相手は、

「お前、多喜二をどう思ってるか知らんけど、おれは尊敬してるぜ。大した男だよ、多喜二は」

って言っていたと。終戦近い頃だったらしい。

第七章　山路越えて

あれ、わだし、何話すべと思って、こんな話したんだべか。とにかくわだしは、多喜二が死んで五年は東京にいて、チマに何度も、

「小樽さ来い、小樽さ来い」

って言われて、朝里のこの家に世話になることになったのね。ああ、チマたち夫婦には子供がなくて、養子縁組みしてな。わだしばずいぶんと大事にしてくれている。

チマん所は、前にも言ったとおり、大きな網元で、チマの旦那は銀行員で、この辺でもしっかりした立派な家でな。ああ、最初チマが嫁に来た時は、この崖（がけ）の下の、海岸ぶちに、ヤン衆が何十人も泊まれるくらいの、たくさん部屋のある大きな家でな、その後しばらくしてこの山の上に新しくこの家ば建てたの。

この山の上からは、小樽のほうまで海が見えて、右手には増毛（ましけ）のほうの山が見えて、わだしには、これこのとおり、一番見晴らしのいい部屋ば造ってくれてな。

え？　チマかね。あんたさんも知ってのとおり、チマは若竹小町って言われた器量よし

でな、ま、玉の輿に乗ったようなもんだ。旦那の藤吉つぁんは非の打ちどころのない人でな。寺の檀家総代をしてるってことは、さっきも言ったわね。

そうそう、昭和二十年、戦争が終わった。世の中がすっかり変わった。この山の上の土地は四百坪もあったかね。わだしは大好きな畠作りに一生懸命になった。多喜二が死んでから終戦まで、十二年もかかった。わだしは、この家もいいども、時々東京の三吾の所に出かけて行った。わだしの作ったごしょ薯だの、大根だの、とろろ芋だの、よく送ってもやった。自分の作った物が喜ばれるって、うれしいもんだ。多喜二も自分の書いた小説がなんぼ売れたって言ってね、喜んでいたもんね。

いつの頃からだったかなあ、多喜二の死んだ二月二十日に、人が集まってくるようになった。集まってくる人は、多喜二の小説ばよく読んで、多喜二の死んだことも詳しく知っていて、わだしば大事にしてくれる。で、わだしは、ちらしずしだの、ぼた餅だの作って、来た人に食べてもらうの。

わだしはふだんでも、ぼた餅やちらしずし作るのが好きでね。よく重箱さ入れて、近所のあちこちに配ったもんだ。人に物をやるって、うれしいもんだねえ。人が喜んでくれるのは、何より力になるもんだね。

あれは、今から十年ぐらい前だったと思う。「多喜二祭」があるっていうこと聞いて、

チマの行ってる教会の、近藤牧師さんがひょっこり入ってこられたことがあった。

あん時はお客さんが十七、八人も来ていたべか。みんな多喜二のこと夢中になって話してたども、近藤先生は頭ば垂れて、じっとみんなの話ば聞いていた。時々大きくうなずきながら聞いていた。その日もぼた餅作ってみんなに食べてもらったども、近藤先生はぼた餅食べてからわだしの傍に寄って来て言った。

「お母さん、ぼた餅がおいしかったと言っては、多喜二さんに申し訳がない気がするけど、お母さんの深い気持ちのこもったぼた餅の味、忘れませんよ」

って言ってね。わだしびっくりした。ぼた餅食べて、そんなこと言った人なかったからね。そん時の近藤先生の、わだしをじっと見つめた目が、何ともあたたかくてね……。よく、昔から「目は口ほどにものを言う」っていうべさ。ほんとにあの先生の目は、あったかいもんなあ。わだしはただの一度で、近藤先生が好ましくなった。

あれから先生、朝里のこの遠い家まで時々訪ねて来て下さるの。別段神さまの話するわけではなかったども、両手を胸に組んで、じーっと窓から海ば見て、

「しける海と、なぎる海と、どっちが本当の海のかおですかね」

なんて言ったりしたの。多喜二もいつかおんなじことを言ったことがある。そう言ったらば、

「それは光栄ですなあ」

って、にっこり笑ってな、近藤先生って、ほんとに味のある先生だこと。わだしは、神も仏もあるもんか、という気持ちがまだどこかに残ってて、死なれて十年以上も経った頃なのに、何としても多喜二がほんとに悪いのか、殺した警察がわるいのか、はっきり言ってくれる神さんがいないもんか、っていう思いが胸の中で、たまらんほど強くなることがあった。そんなこと牧師さんにぼつらぼつら言ったら、牧師さんしきりにうなずいて、

「そりゃあ、そう思うの当然です」

って言うの。

雪がとけて、あったかくなって、チマにつれられて、教会にも顔ば出すようになった。

「多喜二のお母さんが来た」

「多喜二のお母さんが来られた」

って、みんな傍に寄ってくれてね、ありがたいような、妙に淋しいような気持ちがしたもんだ。

けどなあ、正直な話、教会ってところは、わだしには向かないんだね。何かというと、

「聖書をおひらき下さい」

とか、

「讃美歌何番おひらき下さい」

って言うんだもね。字の読めないわたしは、どうやって聖書読んだらいいもんだか。その点お寺だと、いちいちお経ひらかんでも、寺の坊さんはわかるように語ってくれる。

（ああ、わだしは字が読めない）

なんぞと嘆かんでも、お寺のお参りならできる。そのこと近藤先生が家さいらした時言ったらば、

「そうですねえ。字の読めない人には、キリスト教のお説教は、わかりにくいですね。でもね、お母さん、人間には心の目とか、心の耳というものがあってねえ。聖書を読めない人でも、聖書をすらすら読める人より、よくわかることがあるんです。お母さんのように、人の何倍も涙を流した人には、その心の目と心の耳があるのです。わたしなんか、いくら聖書を読めても、説教ができるといっても、神さまの姿をしっかりと見つめることができるかどうか、怪しいもんです。きっと今に、お母さんに追い越されるようになるでしょう」

なんてね、先生はまじめな顔でおっしゃるの。そんなことがあるべかとわだしが言ったら、

「あとのカラスが先になる、という言葉があるでしょう。聖書にも『後なる者が先にな

る』という言葉がね、これここにあるんですよ」

ってね、短い言葉ば口移しに教えてくださるの。わだしはね、多喜二にね、石川啄木の歌ばよく口移しに教えられて、啄木の歌ばいくつか覚えているの。

　たわむれに母を背負いてそのあまり
　軽きに泣きて三歩歩まず

とか、

　ふるさとの山に向かいて言うことなし
　ふるさとの山はありがたきかな

なんていうの、こうして覚えてるのは多喜二の口移しのおかげなの。

近藤治義（はるよし）先生が、その多喜二とおんなじように、聖書の言葉を口移しに教えてくれた時、真から近藤先生が好きになった。多喜二のように真から信用できるような気がした。

だから、『心の貧しき者は幸なり』という言葉だって、『神天地をつくり給えり』という言葉だって、わだしの心の財布の中に、ちゃあんと大事にしまってあるの。

わだしは、近藤先生が神さまはいると信じているんなら、わだしも信じていいと思ったこともあった。だけどね、キリスト教って、やっぱり何だかわかりづらくてね。只、みんなが優しいの。でも、優しいだけなら、多喜二の仲間や党の人たちだって、そりゃあ優し

いよ。島田さんなんて、優しくて優しくて優しくて、斉藤さんだって優しくて優しくて、中野重治さんだって優しくて、奥さんの原泉さんなんて、そりゃ優しいよ。三年前にわだしの病気が悪くなった時、原さんなんて忙しい女優さんなのに、はるばるこの朝里まで見舞いに来てくれたの。血の分けた親戚だって、なかなかできんこった。

できんといえば、島田正策さんだってそうだ。多喜二がタミちゃんば身請けするのに、五百円の金が要る。多喜二には三百円しかない。島田さんに相談したらば、にっこり笑って二百円出してくれた。多喜二は、

「そのうちに返す」

って言ってたども、五十円も返したか。それでも島田さんは、

「金ば返してくれ」

なんて、ただの一度も口にしたことはない。優しいだの、親切だのということは、キリスト教のほうに軍配ば上げていいか、党の人たちに軍配ば上げていいか、もしかしたら党の人たちに軍配上げてもいい気もするども、只わだしは、わだしの知りたいことをキリスト教の人は答えてくれたような気がするの。

ある時なあ、近藤先生が二、三人の女の信者さんばつれて遊びに来てくれた。四角いお盆ほどの大きな本ば持って来てな。

「ここにキリストさまの一生が書いてありますよ。絵だから、むずかしいことはありません」

って言って、キリストさまが、でっかい星の光っているその真下の馬小屋で生まれた絵だの、羊飼いがその馬小屋に羊たちばつれてお祝いに来てる絵だの、一枚一枚、

「これがヨセフさま」

「これがマリヤさま」

「これがイエスさま」

「これが天使」

「これが牛」

「これが馬」

なんてね、それはそれは親切に聞かせてくれたの。そしたらね、イエスさまがね、貧乏な目の見えない人の目をあけてあげた話や、不思議な話や、足の悪い人ば直して上げた話や、癩病の人を見る間に直した話や、次から次から出てくるの。そしてね、驚いたことに、直してもらった人は、みんな貧乏人ばかりなの。たまには金持ちの人も直してやったけど、イエスさまは体の弱い人を馬鹿にしたり、貧乏な人を嫌ったりしないのね。

わだしは、多喜二が聖書ば読んでたことが、これでよっくわかった。とにかくね、イエ

スさまは貧しい人を可愛がって下さったのね。そのイエスさまがゲッセマネの園っていう所で祈っていた時に、警察だか、役人だか、棒っこ持って来た人たちに、引っ張られて行ってしまったの。ユダという裏切り者が手引きしたのね。

わだしは、ここでも多喜二のことを思い出した。多喜二もスパイの手で警察につかまってしまったからね。

そしてイエスさまは、大急ぎで裁判にかけられたのね。イエスさまが何悪いことしたというんだべ。貧乏人ば憐れんだり、病人を直してやったりしただけだべさ。

「お前は神の子か」

って言われて、

「そうだ、あんたの言うとおりだ」

って言ったのが悪いって、十字架にかけられるのね。両手両足に五寸釘打ちこまれて、どんなに痛かったべな、どんなに苦しかったべな。

だども、たまげたことにイエスさまは、誰をも呪わんかったのね。

「神さま、この人たちをゆるしてあげて下さい。この人たちは、何をしているか、わからんのですから」

と言って、槍で胸を突かれて、亡くなられたのね。

それからね、死んだあと、むごったらしい傷だらけのイエスさまば……イエスさまば……お母さんのマリヤさんが、悲しい顔で抱き上げている絵があったの。手と足に穴があいて、脇腹に穴があいて、血が出て、むごったらしい絵なの。

わだしはね、多喜二が警察から戻って来た日の姿が、本当に何とも言えん思いで思い出された。多喜二は人間だども、イエスさまは神の子だったのね。神さまは、自分のたった一人の子供でさえ、十字架にかけられた。神さまだって、どんなに辛かったべな。だけど、人間を救う道は、こうした道しか神さまにはなかったのね。このことは、いきなりすっとはわからんかったども、イエスさまが、

「この人たちをおゆるし下さい。この人たちは何をしてるか、わからんのですから」

って、十字架の上で言われた言葉が腹にこたえた。わだしだって、多喜二だって、

「どうかこの人たちをおゆるし下さい」

なんて、とっても言えん。

「神さま、白黒つけてくれ」

ってばっかり思ってた。近藤先生は、

「神さまは、正しい方だから、この世の最後の裁判の時には、白黒つけて下さる。お母さん、安心していていいんですよ」

って、わだしの手を取ってくれた。そん時わだしは、なんかわからんが、神さまってかたが、わかったような気がしたの。

教会で聞くと近藤先生の話もむずかしいけど、私と似た年頃の人三、四人と聞いた時は、すっぱすっぱと胸に入った。それが二、三年前のことだったべか。

それからね、またある時近藤先生に「秋田おばこ」の唄だの、「曲げわっぱ」の唄を聞かせてあげた。故郷の唄ってのは懐かしくてなあ。気持ちに元気が出てくるもんなあ。先生にそう言ったらば、先生は、

「そうです、そうです。故郷をおもう歌は力になります。そしてお母さんの声はいい声だ。とても八十過ぎた人の声だとは思えない。そうだお母さん、讃美歌を覚えませんか、讃美歌を」

そう言って、わだしに教えてくれたのが、これ見て下さい。この唐紙に貼ってある歌ですよ。

わだしねえ、死んで見たらば、神さまの傍にいたっていうのが一番安心だから、葬式は近藤先生にやってもらうべと、今からチマたちに頼んであるの。そしてその時、第一番にうたってもらう歌が、この歌なの。

え？　この大きい紙さ書いたの誰の字かって？　ああ、これわだしが書いたんだよ。多喜二が監獄に入った時、手紙書いてやりたくて字ば習ったの。ひらかなばかりだどもね。それでこの讃美歌も書けたわけ。

この次、近藤先生が見える時まで、そらでうたえるように練習しようと思ってるの。毎日、これ見てうたってるの。題はね、「山路越えて」っていうんだと。讃美歌は、文句も節も西洋人が作ったものが多いそうだけど、これは日本人が節も文句も作ったもんだと。うたってみれってか。あんたがたも一緒にうたうべ。え？　やっぱりわだし一人でうたえってか。そうだね、死んだ時一人でうたって神さまの所さ行かねばならんからね。じゃ、うたってみるか。ちょっとご詠歌に似てるどもね。六番まであるけど、三番までうたっているうちに、神さまの所さ着くべさ。

やまじこえて　ひとりゆけど
主の手にすがれる　みはやすけし

松のあらし　谷のながれ
みつかいの歌も　かくやありなん

峯の雪と　こころきよく
雲なきみ空と　むねは澄みぬ

下手だべさ。そうか、うまいか。うまくはないども、まちがわんでうたえたべ。この紙に貼った字、見なくてもうたえたべさ。もうずーっと前から、毎日毎日練習してきたんだ。近藤先生がな、

「この歌、わかりますか」

って言ったことがあった。ようはわからんども、何となくわかる。わだしが死んで、一人とぼとぼ歩いていくんだども、なんも淋(さび)しくないのね。イエスさまの手さつかまって、イエスさまと一緒に、天の国さ行くからね。

そんなことをわだしが言ったら、近藤先生ね、

「それだけわかれば、百点満点です。生きてる時も死んだ時も、イエスさまと一緒だってことわかれば、イエスさまの立派なお弟子さんですよ」

って、ほめてくれたの。わだしね、この歌大好きなの。それはね、わだしの生まれた所秋田県だべし。ほら、大館(おおだて)って、忠犬ハチコーで有名な所ね。あそこの奥の田舎がわだし

の生まれ故郷だども、この歌うたうと、あの辺りが何とも目に浮かぶのね。んだ、多喜二ば生んだところも大館在の川沿村だから、多喜二の生まれ故郷でもあるわけね。あの辺りの山ば、イエスさまの手にすがって歩いて行く自分の姿が、はっきり見えるみたいで、この歌うたうと、何とも言えず安らかな気持ちになるんだ。

近藤先生、この正月にも来て下さってね、この歌ば先生とけいこした時、先生にそう言ったら、

「安らかになる？　お母さん、この歌の文句の『身は安けし』というのは、『心が安らかだ』という意味だからね。この歌をそれだけわかったら、大したもんです」

って言って下さってね、わだしとてもうれしかった。この安心が信仰だってね。今もこうして目をつぶると、故郷の山路ばこの歌うたいながら歩いていくわだしの姿と、手ば引いて下さるイエスさまの姿とが、目に浮かんでならないの。

しかし、チマの旦那の佐藤藤吉という人は、何と偉い人だべ。近藤先生に、

「わだしの葬式はキリスト教でやって下さい。先生がわだしの葬式ばして下さい」

って頼んだら、近藤先生それはそれはうれしそうな顔をして、

「一緒の所に行こうね」

って、わだしの手ば握ってくれた。膝をきちんと折ってな。その目から涙がぽとんぽと

ん、ぽつんと落ちた。そして、ぽつんと先生は言われた。

「神の恵みです」

ってな。それからしばらく黙ってたけど、

「ところでお母さん、ここの家の藤吉さんは、お寺の檀家総代でしょう。お母さんがずっとここに世話になってこれたのは、藤吉さんのおかげでしょう。檀家総代がキリスト教の葬式を許して下さるかな」

と言うの。それでわだしはその夜、ご飯食べてから藤吉さんに聞いてみた。

「藤吉さん、わだしの葬式、近藤牧師さんにやってもらえないべか。キリスト教で頼むわけにはいかんべか」

そうしたら藤吉さん何て言ったと思う？

「お母さん、よくぞ近藤先生にお委せする気になりましたね。よっぽど安心したわけでしょう。安心して死ねるってことは、ありがたいことです。お母さん、わたしとチマはお母さんの子供です。けど信仰は一人一人別々であっていいんですよ。その一人一人の信仰をお互いに大事にすることが大切なんですよ」

そんなようなことを言ってね、喜んでキリスト教の葬式を認めてくれたの。

なあ、チマ、チマが長いこと教会さ行ってるから、藤吉さんもわかりがいいんだべども、

何せ偉い人だな。

「何⁉ ヤソで葬式上げろ？ おれは檀家総代だぞ。そったらことできるか」

って言われても仕方のないところだもんね。

ま、そんなわけで、この歌はわだしの葬式の時にうたってもらえることになったの。何とうれしいことかね。

ああ、そん時近藤先生に、

「多喜二は天国にいるべか」

って聞いたら、

「あのね、お母さん。聖書には『この小さき者になしたるは、すなわち我になしたるなり』という言葉があるんですよ。チマさんからも聞いていますが、多喜二さんはずいぶんたくさんの貧しい人に、いろいろ親切にして上げたそうですよね。『小さき者』というのは、貧しい人ということでね。名もない貧しい人に親切にすることは、イエスさまに親切にすることなんですよ。多喜二さんが天国にいないとは思えませんよ」

うれしかったなあ。多喜二に会える、多喜二に会える。うれしかったなあ。

そう言えば、今思い出した。多喜二が党の人と四国さ行ったことがあるんだって。暑い時でね、ご飯がすえてしまうんだって。この頃のように冷蔵庫なんか、ない頃だからね。

そしたらみんな、ぽっかぽっかと臭くなった飯ば投げるんだって。多喜二はね、その飯ばザルに入れて、ポンプの水をギコギコギコギコ出して洗って、そして干して食べたんだと。そしたら仲間の人が、

「そんなことまでしなくても……」

って言ったそうだ。多喜二は首を横にふって、

「貧しい者の味方だと言って、われわれは働いている。そのわれわれが、米の飯を捨てられるか。米の飯を食べることのできない者のことを、本気で考えているのか」

って言ったんだと。この話は、斉藤さんだったか、原さんだったか、何人の人からも聞かされた話だ。

「多喜二さんは、表も裏もない人だ」

って党の人たちが言ってたども、それこそ「この小さき者になしたるは……」だべな。あの多喜二がタミちゃん一家ば、あんなに心にかけたのも、「この小さき者に」だべな。

わだしね、秋田の川沿に多喜二の石碑が建ったからって、招かれて見に行った話、もうしたったべか。ああ、まだだったかね。

その石碑はね、大館の人でね、社会党の議員の佐藤啓治さんという人の肝煎りで建てら

れたの。わだしが嫁入りした小林の家の、すぐ近くの駅前に建っていた。わだしはそれを見て、何とも言えん気持ちだった。あの小林の家は、わだしが十三の時に嫁に行った家だからね。まだ子供のわだしば、末松つぁんはめんこがってな。字は読めんくても、一度だって馬鹿にしたことはなかった。よく小説を読んでいた。あの末松つぁんの血が、多喜二に流れていたわけだ。多喜二は、あの石碑の建った辺りば、藁草履(わらぞうり)はいて走りまわっていたもんだ。わだしと末松つぁんが、工事場のトロッコさ乗って汗ば流してた時、多喜二は何べん現場までわだしらば見に来ていたべ。

そう、あそこは多喜二の生まれた場所だ。多喜二の小っちゃな胸に、父親と母親がトロッコ押しをしている姿が、どんなに映ったもんだべか。きっと、たびたび思い出していたんでないべか。今はもう聞くすべはないども、多喜二が監獄に七カ月も入れられた時、あの生まれ故郷の夢ば見なかったとは言えないべ。思い出さんかったとは言えないべ。何せ貧乏村だった。あの辺一帯は貧乏だった。十五、六の娘たちは売られていった。父親につれられて、自分の親きょうだいばふり返りふり返り、売られて行った姿ば、多喜二は死ぬまでに何べん思い出したことだべか。

まさか、その故郷に、自分の石碑が建つなんて、想像もしなかったべな。あの多喜二の最期はむごたらしくて、末松つぁんは何も知らんで死んでよかったと思ったけど、あの村

に碑が建った時は、一緒に見に行きたかったような気がした。人間って、何て変なもんだべ。

　変なもんて言えば、いつか東京さ行った時、不思議なことがあった。そう、三年ぐらい、いや、昭和三十一、二年だったべかなあ。三吾と三吾の嫁の浩子(ひろこ)さんと一緒に街さ出かけた時だった。

　ああ、この浩子さんがいい人でね。これまた心のきれいな人だ。この浩子さんが、タミちゃんと仲がよくて仲がよくて、きょうだいみたいにしていてね、そしてね、浩子さんは、

「お母さん、タミちゃんはね、『お母さん長生きしてくれないと困る。お母さんのいない世の中なんて、考えられん』って、言ってたよ」

って、教えてくれたことがあった。

　この浩子さんとさ、三吾と三人で、その日いろいろ買い物して、車を拾ったの。そしたらね、なんか体のでっかい不愛想な男が運転手さんだったの。わだしは、

(あれま、この人何でぶすっとしてるべ)

って思ったの。そして何だか気が重くなったの。行く先を言っても、ろくすっぽ返事もしないで、車ば走らせた。わだしは何となく浩子さんと顔見合わせた。とね、三丁も走ったべか、それまで黙ってた運転手さんが突然、

「おれは元右翼だけどね」

と言い出した。いったい何言い出すかと思ったら、

「あんたがた、小林多喜二って小説家知ってるか」

ってきたもんだ。助手席に坐っていた三吾が、

「うん、まあ」

と、口の中でもごもご言った。するとね、その運転手さんがまた言った。

「おれはさあ、元右翼だけどさあ。小林多喜二の時の警察のやり方だけは、絶対に悪いと思う」

とね。わだしはもうびっくらこいて、

「そんなに悪いかね」

って言ったら、

「うん、悪い。あれじゃ多喜二は可哀相だった」

って言い出すわけ。そしてあとはもう知らんぷり。

「あの運転手さんは、いったい何だったべ」

って、時々三吾や浩子さんと話し合うの。あの運転手さんはああやって、乗る客乗る客に、

「おれは元右翼だけど、小林多喜二は可哀相なことをした」

って言っているんだべか。もしかして、多喜二が死んだ時、警察さ勤めていたんだべか……なんて思ったりもしたけど、ほんとにあれは不思議な話だよ。けど、あの運転手さんのことを思い出すと、何か慰められるのね。多喜二ばわかってる人が、まだまだいるんだべってね。あの人、今日も、

「……元右翼だけど」

って喋っているべか。多喜二ば調べた特高の一人が、狂い死にしたって聞いたことがあるが、もしかしたらあの運転手さんの親戚だべかと思ったりしてね。

わだしが思うに、右翼にしろ、共産党にしろ、キリスト教にしろ、心の根っこのところは優しいんだよね。誰だって、隣の人とは仲よくつき合っていきたいんだよね。うまいぼた餅つくったら、つい近所に配りたくなるもんね。むずかしいことはわからんども、それが人間だとわだしは思う。

そりゃあ人間だから、悪いことも考えるべさ。ある時は人ば怒鳴りたくもなるべさ。でも本当は、誰とでも仲よくしたいのが人間だよね。

それだのに、人間は、その仲よくしたいと思うとおりには生きられんのね。ちょっとのことで仲違いしたり、ぶんなぐったり、あとから後悔するようなことばかりして、生きて

いくのが人間かね。

え？　わだしが共産党さなぜ入党したのかって？　それ、よく人に聞かれるのね。

去年の暮れにな、小樽の党の人がやって来て、

「お母さん、入党しないか」

って、勧めてくれたの。わだしとチマは、共産党のことはむろん悪いとは思わんども、詳しいことはよくわからんからって、断ったのね。わだしもうそん時、自分の葬式はキリスト教でやってもらうべと、心で決めていた。わだし、今年八十八になるけど、キリスト教で葬式してもらおうと思ったのは、只の思いつきではないの。檀家総代の藤吉つぁんの身になってみれば、そう簡単に言い出せることではない。そればよくよく承知の上で、キリスト教で葬式をと、心の中で固く決心したの。わだしは共産党のことはよくわからない。けどキリスト教のことは少しはわかる。

ま、そんなわけで、一度は断った。そしたらその人、またやって来て、

「多喜二さんも共産党に入党していたんです。多喜二さんのお母さんが共産党になったって聞いたら、大勢の人が励まされるんです」

って言うのね。わだしみたいな婆さまに励まされる人などいるかなあと思ったけど、あんまり熱心に言うので、

「そうだなあ、多喜二が入っていた党だからなあ。貧乏人のことを考える党だからなあ……」

と思って入党することにしたの。だけど、葬式だけは、絶対キリスト教だよって、念を押してね。簡単な気持ちで入ったんだけど、あんまりみんなが、

「どうして入ったんだ？」

「なんで入党したんだ？」

て聞くので、どういうわけだべかと思ったりしているのね。

ああ、すまんかったねえ。長い時間、わだしの話を聞いてもらって。わだし、ふだんはあんまりごちゃごちゃと愚痴など言わんほうなのに、あれだこれだ喋ってしまって、天国に行ったら多喜二に叱られるかも知れないね。

でもあの子は、めったにきょうだいたちば叱ったり怒鳴ったりしたことのない子だった。あんたさん、聞き飽きたべさ。あ、これはうまいお茶だこと。

なんだかいろいろ喋ったけど、まだまだ胸ん中には、いろんな思いが残っている。辛い思いも残っている。よくもまあ、あんな辛い思いを持って、この年まで生きてきたものだこと。人間、自分の死にたい時に死ねるとは限らんのね。生まれたい時に生まれるというわけにもいかんのね。神さまが、ちょうどいいというあたりで生まれさせ、この辺りでと

いうところで、死なせてくれるのね。

わだしね、小っちゃい時に学校さ行きたかったなあ。わだしの年で学校へ行けた人は少なかった。あの秋田辺りでは少なかった。もっと字ば覚えていたら、何か書いて気ば紛(まぎ)らしていたべになあ。

よその赤ん坊おぶって、四つ五つで子守りして、学校のそばさ行って、唱歌ば聞いて、小っちゃな声でうたってみたっけ。中には
「ここは子守りの来るところではない」

って、怒鳴った先生もいてなあ。でも子守りすれば、朝飯と昼飯は食わせてもらえたからね。あの頃の子供たちは、ああやって自分の食う分を稼いで、おがったもんだ。そんなことなど、時々思い出して、ものを書けたらなあと思うことがある。

なあに？　そこにある紙は何ですかって？　ああ、これか。これは見せられない。泣きごとだ。わだしの泣きごとだ。

二月が近づくとなあ、多喜二が死んでから三十年近く経(た)っても、まだ心が暗くなる。まだ信仰が足りんのだべかねえ。恥ずかしいけど、そったら気持ちを書いたもんだ。ずいぶん前に書いたもんだ。思い切って見せて上げるべか。まだチマにも見せたこともない。

ほんとはね、これはイエスさまにしか見せないつもりでいたんだ。人になんぼ見せても、

わだしの辛さをどうしてくれるわけにもいかない。イエスさまだら、この辛さをちゃーんとわかってくれると思うの。死ぬ時には手ば引いて、山路ば一緒に行ってくれるお方だもんね。あんまり下手で恥ずかしいども、作ったというか、書いたというか、鉛筆持ったらこんなのできたというか、ま、そんなもんだ。

あーまたこの二月の月かきた
ほんとうにこの二月とゆ月か
いやな月こいをいパいに
なきたいどこいいてもなかれ
ないあーてもラチオて
しこすたしかる
あーなみたかてる
めかねかくもる

これな、ほんとは近藤先生にだけは見せたんだ。したらな、先生、なんも言わんで、海のほうば見ているの。五分も十分も黙ってるの。

(先生、何か気にさわったべか)

と思ったら、先生の口、ひくひくしてるの。そしてな、持って来たでっかい聖書ひらいて、

「お母さん、ここにこう書いていますよ。『イエス涙を流し給う』ってね」

先生そう言って、声ば殺して泣いてくれたの。わだしは、「イエス涙を流し給う」って言葉、何べんも何べんも、あれから思ってる。イエスさまはみんなのために泣いてくれる。こったらわだしのために泣いてくれる。下手なもの書いたと思ったけど、そう思ったら、破るわけにもいかんの。

いや、長いこと喋ったな。ほんとにありがとさんでした。いや、ありがとさんでした。

おや、きれいな夕映だこと。海にも夕映の色がうつって……。

あとがき

小林多喜二の母を書いて欲しいと三浦から頼まれたのは、もうかれこれ十年以上も前のことになろうか。

正直な話、私はこの三浦の提案に困惑を覚えた。私は小林多喜二をよく知らない。共産主義にもまことにうとい。その私に、どうして小林多喜二の母が書けるだろうか。三浦はいったい、どうしてこんな私に多喜二の母を書けというのか。私は戸惑った。

その戸惑う私に三浦は言った。

「多喜二の母は受洗した人だそうだね」

ぽつりと言ったその一言が大きかった。共産主義者の母親を書くのならむずかしいかも知れないが、キリスト信者となった人のことなら何とか書けるかも知れない。同じ信仰を持つ私と、生きる視点が同じである筈だからだ。

こうして取材が始まった。調べるに従って、第一に私の心を捉えたのは、多喜二の家庭があまりにも明るくあまりにも優しさに満ちていたことだった。そしてもう一つ私の心

を突き動かしたものは、多喜二の死の惨さと、キリストの死の惨さに、共通の悲しみがあることだった。もし多喜二の母が、十字架から取りおろされたキリストの死体を描いた「ピエタ」を見たならば、必ずや大きな共感を抱くにちがいないということだった。

更に言うならば、私の共産主義に対する理解は低かったが、多喜二の母も決して理論家ではなかったであろうという一点である。多喜二の母として、多喜二が属していた共産党という団体を、多喜二を愛するが故に愛していたという立場になら、私も立てるような気がした。三浦は言った。

「多喜二の母は、息子を殺されて、正しく白黒をつけて下さる方がいるのか、いないのか、どんなに切実にそのことを思ったのではないだろうか。その切なる思いを何とか書いて欲しい」

三浦は真剣だった。

私には自分から書きたいと願って書いた小説と、他者から注文されて書いた小説がある。例えば「細川ガラシャ夫人」とか「泥流地帯」とかは、全く私の関心を惹いたことのない題材であった。が、取材を始めてみると、次第に心が熱してきて、これらを書き上げたものだった。

本書「母」も同様の経過を辿って、深い感動のうちに書き終えることができたのである。

取材のさなか、多喜二の母がまだ受洗をしていないことがわかり、書く気を失ったこともあったが、更によく調べた結果、その挫折感を私は振り払うことができたのである。

　本書は八十八歳の多喜二の母が、人を相手に自分の思いを語り聞かせ、遂にキリスト教で自分の葬式をしてもらおうとするに至る心情を述べている。何しろ八十八歳の高齢である。ものの考え方も、共産主義者とも、キリスト信者とも、ちがったものがあるかも知れない。私はそれでもいいと思った。多喜二の母が、こんな思いで生きたのではなかろうかという推測を、私なりにたどたどと書いてみた。

　執筆に当って、多喜二の弟さんの三吾氏始め、ごきょうだい、また島田正策氏外幾人かの多喜二の知人たち、小樽シオン教会の秦牧師と信徒、角川書店の大和正隆氏、多喜二研究者の布野栄一氏、ふるさとの縁者や、佐藤博信氏等にひと方ならぬおせわになった。心から感謝を捧げたい。

　果して三浦がねがったような作品となり得たかどうかはともかくとして、改めて多喜二の生きた命を問い直したい思いでもある。

　なお本書の最大の資料は、多喜二の小説、日記、随筆等であることはいうまでもない。多喜二が本書を読んだら何と評するであろうか。このように想像するとちょっと怖く、はなはだ複雑な思いにもなる。が、心優しい多喜二は寛大にゆるしてくれることであろう。

最後にセキさんの葬儀を執り行った小樽シオン教会牧師近藤治義氏の話を抄出、紹介しておきたい。これは前夜祈禱会（通夜）の席で語られたもので、同教会から発行された「ことば」第四巻に収録されている。

〈小林セキさんは細身で小柄でした。体つきに似合わず旺盛な精神力と、稀な健康にめぐまれたかたであった。それでこそながい人の世の旅路、幾多の苦難や試練を経ながら長寿を保つことができたのだとおもう。

とはいえ、人の体は不死身ではないので、八十の齢を半ばすぎ、九十に近づくことは容易ではない。三年程前に心臓を病んで重態になられたことがあった。多喜二の母病篤し、と全国に伝えられ、見知らぬ高校生、拘置所内の死刑囚からの見舞状もあり、東京の親しい方の中には空路でかけつけたかたもあった。その一人新劇女優の原泉さんなど、セキさんの病床に身を寄せ、手をさすり、やさしく頰を撫で、いたわりの情を示していられたと聞いている。

そうした大患からもやがて癒され、気分のよい時には戸外の畠仕事を指図したり、自分でも鍬を取るまでに快復された。（中略）

偶然にも私は五月十日の午後三時過ぎに、母の日のカードと、前回写した写真を持ってお訪ねした。佐藤さん夫妻は外出中で、お手伝いの小母さんとセキさんとが茶の間のスト

ーブを囲んでいられ、私を迎えてくれた。その場の様子からは、数時間後の急変を予測できる何ものも感じられなかった。（中略）

私は再会を約し、辞去した。その夜の八時過ぎ、心臓喘息の発作で急逝されようとは、夢にも思わなかった。（以下略）〉

この、牧師の偶然の訪問に、私は神の御旨の深さを思わずにはいられない。セキさんはこの日も「山路越えて」の讃美歌をうたっていたという。平安な死であったことが偲ばれて、今を生きる私たちもまた慰められる思いがするのである。

一九九二年二月

三浦綾子

小林セキ年譜

一八七三年（明治六年）八月二二日。誕生。
　秋田県北秋田郡釈迦内村釈迦内。小作農、木村伊八の長女。
一八八六年（明治一九年）暮。セキ一三歳。
　隣村の（秋田県北秋田郡下川沿〈下川沼？〉村川口一七番地）小林末松に嫁ぐ。
　末松二一歳。
一八九五年（明治二八年）。セキ二二歳。
　一一月一五日。長男、多喜郎誕生。
一九〇〇年（明治三三年）。セキ二七歳。
　長女、チマ誕生。
一九〇三年（明治三六年）。セキ三〇歳。
　一〇月一三日。次男、多喜二誕生。
一九〇七年（明治四〇年）。セキ三四歳。多喜二、四歳。
　一月四日。次女ツギ誕生。
　一〇月五日多喜郎死去。一二歳。

一二月下旬。義兄慶義のすすめで、一家は小樽へ移住する。

一九〇八年（明治四一年）。セキ三五歳。多喜二、五歳。

正月がすぎてまもなく、一家は小樽区の南はずれの若竹町に住居を定めた。

一九〇九年（明治四二年）。セキ三六歳。多喜二、六歳。

一二月一二日。三男、三吾誕生。

一九一六年（大正五年）。セキ四三歳。多喜二、一三歳。

四月。多喜二、庁立小樽商業学校に入学。

七月七日。三女、幸（ゆき）誕生。

一九二一年（大正一〇年）。セキ四八歳。多喜二、一八歳。

三月一七日。多喜二、小樽商業学校卒業。

五月五日。多喜二、義兄慶義の援助を受け、小樽高等商業学校へ入学。

一九二二年（大正一一年）。セキ四九歳。多喜二、一九歳。

七月一七日。長女チマ、泰北銀行につとめていた朝里の佐藤藤吉と結婚。

一九二四年（大正一三年）。セキ五一歳。多喜二、二一歳。

三月九日。多喜二、小樽高商卒業。

三月一〇日。多喜二、北海道拓殖銀行に勤務。

四月一八日。小樽支店勤務にきまる。

八月二日。夫の末松、脱腸手術後の経過悪く小樽病院で死去。五八歳。
一〇月。このころ、多喜二、タミ（仮称）と出会う。

一九二五年（大正一四年）。セキ五二歳。多喜二、二二歳。
三月。多喜二、上京。東京商科大学の試験をうけるが、不合格。

一九三三年（昭和八年）。セキ六〇歳。多喜二、三〇歳。
二月二〇日。多喜二、死亡。

一九六一年（昭和三六年）。五月一〇日。セキ死去。八七歳。

参考文献並に資料

「小林多喜二全集」　新日本出版社刊
「手塚英孝著作集」第三巻　新日本出版社刊
「小林多喜二読本」多喜二・百合子研究会編　啓隆閣刊
「小林多喜二と宮本百合子」中野重治著　講談社刊
「新潮日本文学アルバム　小林多喜二」　新潮社刊
「日本文学アルバム　小林多喜二」　筑摩書房刊
「小林多喜二読本」多喜二・百合子研究会編　三一書房刊
「小林多喜二日記」　ナウカ社刊
「小林多喜二」手塚英孝著　新日本出版社刊
「多喜二虐殺」橋爪健著　新潮社刊
「小樽の人と名勝」　小樽出版協会刊
「小林多喜二研究」蔵原惟人・中野重治共著　解放社刊
「小林多喜二」土井大助著　汐文社刊
「小林多喜二」阿部誠文著　はるひろ社刊

写真集「小林多喜二」手塚英孝編　新日本出版社刊
「多喜二読本」多喜二・百合子研究会編　新日本出版社刊
「拷問」森川哲郎著　図書出版社刊
「治安維持法と特高警察」松尾洋著　教育社刊
「ことば」第四巻　山田滋　秦利器編　佐藤浩発行
「北海道拓殖銀行史」　北海道拓殖銀行刊

解説

久保田暁一

一九六四年（昭和三九）に『氷点』によってデビューして以来、三浦綾子氏は、病弱な身体に打ち勝ちつつ多くの作品を書き続けてきた。そして、キリスト者の作家として、神の愛と救い、人間として求むべき真実を追求し、訴えてきた。

ところで、ここで取り上げる『母』は、一九九二年（平成四）三月に書下しの作品として角川書店から出版された小説である。そして、九四年二月に出版された『銃口』と共に、手段を選ばない人権抑圧と徹底的な思想統制によって、国民を戦争へと駆り立てた権力犯罪の犠牲になった人々の悲劇を取り上げ、社会の不条理を厳しくえぐり出した。この両作品は、時代と社会の不条理を真正面から見据えて書かれている点において、三浦氏の数ある小説の中でも異色で骨太な作品として評価したいと思う。

もっとも『道ありき』や『石ころのうた』等の作品において、著者の教師時代の戦時体験が切実に語られ、徹底的な思想・言論統制によって戦争へと国民を駆り立てた社会と時

代に対する批判および、それに無批判的に巻き込まれたことに対する著者の自省が厳しくなされている。そしてその時の体験を元にして、良心的なキリスト者としての立場から、時代と社会の不条理を真正面から見つめ直して、『母』と『銃口』が書かれるに至ったことに私は注目するのである。

著者は『石ころのうた』の「あとがき」の中で書いている。

「いったい、時代とは何なのか。自然にでき上がって行くものなのであろうか。私が育った時代、その時代の流れは、決して自然発生的なものではなかったと思う。時の権力者や、その背後にあって権力を動かす者たちが、強引に一つの流れをつくり、その流れの中に、国民を巻きこんで行ったのだと思う。そして、そのために、どれほど多数の人命が奪われ、その運命を狂わされたことか」

小林多喜二（一九〇三―一九三三）も当時の特高警察の拷問によって虐殺され、二十九歳四ヵ月で命をとじるという、痛ましい犠牲者の一人であった。多喜二は、『一九二八年三月十五日』『不在地主』『蟹工船』『転形期の人々』『党生活者』など、官僚と警察権力を背景にした資本家の社会的不正と戦うプロレタリア文学作品を発表した。

しかし時代は、大正期から昭和期に入り、天皇の神格化、思想統制、軍国主義化の波が

ひたひたと押し寄せる時代に入っていた。それは、一九二八年（昭和三）三月十五日の共産党大弾圧、同年六月に治安維持法を改悪して最高刑を死刑にする法案の制定、七月に特高警察部新設、一九二九年四月十六日の共産党員の検挙等の事件に示されている。そして、一九三一年の満州事変以降、上海事変（昭和七）、国際連盟脱退（昭和八）、日中戦争（昭和十二）へと日本は進んで行った。そうした時代の中で、共産党に入党して作品を書き続けた多喜二の道は誠に過酷であった。多喜二は一九三三年二月二十日に逮捕され、その日のうちに、死因は心臓麻痺（まひ）と当局によって発表されたが、内実は虐殺であったのだ。

『母』は、権力の不正と戦い献身的な活動をした多喜二の生涯と人間性を、母親セキの目と口を通して語っている。それと共に、セキの生涯および母親としての愛情と苦しみと悲しみを語るのである。

しかし、三浦綾子氏がこの作品を書くに至ったのは何故なのか。書く情熱と力をいかにして持つことができたのか。

著者は「あとがき」において、この作品を書くに至った動機と経過を明かにしている。それによると、著者が『母』を書いたのは夫光世氏の勧めによるものであった。しかし、多喜二と共産主義をよく知らなかった著者は困惑を覚えたと言う。その戸惑う著者に光世

氏は、「多喜二の母は受洗した人だそうだね」と言った。その一言が著者の心を動かし、取材を始めたのであるが、資料を調べる過程で著者の心を捉え、突き動かしたのは、多喜二の家庭が「あまりにも明るく優しさに満ちていたこと」および、「多喜二の死の惨めさと、キリストの死の惨めさに、共通の悲しみがある」という思いであった。

「もし多喜二の母が、十字架から取りおろされたキリストの死体を描いた『ピエタ』を見たならば、必ずや大きな共感を抱くにちがいない」と、三浦氏は書いている。さらにそれに続けて、

「多喜二の母として、多喜二が属していた共産党という団体を、多喜二を愛するが故に愛していたという立場になら、私も立てるような気がした」と。

ここで私が特に注目したいのは、罪なき身でありながら十字架にかけられて召天したイエス・キリストの死と、多喜二の死の惨めさに共通の悲しみを見た三浦氏の視点である。また「ピエタ」の絵に描かれたイエスの聖母マリアが悲しみに耐える姿と、多喜二の母セキの悲しみとを重ねあわせて想いを馳(は)せた三浦氏の視点である。

ちなみに、パリのルーヴル美術館にあるアンゲラン・カルトン作『アヴィニョンのピエタ』は、十五世紀フランス絵画の最高傑作の一つとされており、その絵には、福音記者ヨハネとマグダラのマリアを両脇にした聖母マリアが、十字架上で亡くなったイエスを膝(ひざ)に

乗せて、じっと悲しみに耐えている姿が描かれている。

　そうした視点は、キリスト者作家としての三浦氏ならではのものである。そして、多喜二の母がまだ受洗していないことがわかった後にも書く情熱と力を失わず、三浦氏が「感動のうちに書き終えることができた」と言うのは注目すべきことだと思う。

『母』は、長女チマの嫁ぎ先の家に身を寄せていた八十八歳の多喜二の母セキが、自分の思いを秋田の方言なまりの言葉で人に語り聞かせる形で書かれている。

　私はこの『母』を読んだ時、それと対照的にマクシム・ゴーリキーの『母』を思い出し、読み直してみた。ゴーリキーはその作品を一九〇六年のロシア革命時代に書き、社会主義リアリズム文学の傑作として広く読まれた。そして作品に登場する母は、革命運動に挺身（ていしん）する息子の真実を苦しい生活体験と母親としての本能によって理解し、母親自身が革命的な活動家になって国家権力と戦って行った。

　しかし、多喜二の母セキは、決して戦闘的な母親ではなかった。どこまでも家族を愛し、多喜二を信頼して生きる、素朴で働き者の母であった。

　三浦氏が「あとがき」で語っているように、多喜二の家庭は底抜けに明るかった。一八七三年（明治六）に秋田県釈迦内（しゃかない）村で生まれたセキは、十三歳の時に隣村に住む二十一歳

の小林末松に嫁いでいる。そして、三男三女を産み育てた。多喜二は次男であった。家庭は極貧の状況にあったが、セキは夫の末松を尊敬し、力を合わせて働いていく。また子供たちを信頼して愛していく。そのため、貧しい中にも子供たちは、明るくのびのびと育っていく。しかし、長男の多喜郎が一九〇七年（明治四十）十二歳で亡くなった時の末松とセキの嘆きは痛ましい。

夫末松の兄の慶義を頼って一家の者が小樽（おたる）の若竹町に移り住み、小さなパン屋を営んでいた時、近くの作業所から脱走してきたタコ部屋住まいの人夫をかくまって助けたことは、末松とセキの人間的な優しさをよく物語っている。

当時「タコ」部屋と言ったのは、金を前借りして労働する人夫を部屋に閉じ込めて寝起きさせる部屋であり、そこでは人権を無視して働かせるだけ働かせる、脱走でもすれば半殺しにするといったヒドイことが公然と行なわれていた。そのタコ部屋の悲惨な状況について、三浦氏は短編小説『逃亡』でも書いているし、また『銃口』において主人公北森竜太の父親が、タコ部屋を脱走した労働者金俊明を家にかくまって助けることも書いている。もちろん脱走者をかくまった者はヒドイ目にあわされる。

多喜二の両親は、勇気をもって脱走者をかくまうほどに人間的な優しさと子供への深い愛情を持った親であった。その家庭で育った多喜二は、人間的に優しい、人への思いやり

に深い人間に成長して行ったのである。

セキが語る物語は、セキの多喜二への全面的な信頼と愛情および、多喜二の優しさが深く刻み込まれて展開している。

多喜二の優しさは、バイオリンを勉強したいと願っていた弟三吾のために、小樽の拓殖銀行に勤めて初めて貰(もら)った給料をはたいて買い与えたり、後にバイオリンの先生を紹介したりしたこと、また家庭を救うために身を売らねばならなかったタミを、当時教員の初任給が四十円から四十五円といわれた大正十四年に五百円の金を工面して(ボーナスと友達からの借金で)身請けし、自由な身にしたことなどに表れている。そうした多喜二に、セキは全面的に信頼を寄せたのである。

作中の次の対話に注目しよう。

「母さん、おれはね、みんなが公平に、仲よく暮らせる世の中を夢みて働いているんだ。小説ば書いてるんだ。ストライキの手伝いしてるんだ。恥ずかしいことは何一つしてないからね。結婚するまでは、タミちゃんにだって決して手ば出さんし……だから、おれのすることを信じてくれ」

そう言ってね、わだしが、

「多喜二のすること信用しないで、誰のすること信用するべ」
って言ったら、うれしそうに笑っていた。

この対話に母子の血の通った信頼関係と愛情および多喜二の純情さが、端的に示されている。

だが多喜二は、社会の不正をただすために作品を書き、共産党員として活動するが故に銀行はクビになり、投獄もされ、最後には築地の警察署で特高に虐殺された。
遺体を自宅に引き取った時、多喜二の身体は拷問のために痛ましく変形していた。
セキは語る。

「布団の上に寝かされた多喜二の遺体はひどいもんだった。首や手首には、ロープで思いっきり縛りつけた跡がある。ズボンを誰かが脱がせた時は、みんな一斉に悲鳴を上げて、ものも言えんかった。下っ腹から両膝まで、墨と赤インクでもまぜて塗ったかと思うほどの恐ろしいほどの色で、いつもの多喜二の足の二倍にもふくらんでいた」

セキの怒りと嘆きは大きかった。（神も仏もあるもんか）とも思った。気が狂うばかりに苦しみ、生涯にわたって多喜二の死がセキの脳裏から去らなかった。

「わだしはねえ、なんぼしてもわからんことがあった。多喜二がどれほど極悪人だからと

言って、捕えていきなり竹刀（しない）で殴ったり、千枚通しで、ももたばめったやたらに刺し通して、殺していいもんなんだべか。警察は裁判にもかけないで、いきなり殺してもいいもんなんだべか。これがどうにもわかんない」

セキが吐いたこの言葉は、重く胸に迫ってくる。それは民主主義を完全に否定し、人権を無視した者への重い告発の言葉である。そこに私は、著者三浦氏の、多喜二を虐殺したような人権抑圧と思想統制によって、国民を戦争の道へと駆り立てた権力者への怒りと批判の目を感ずるのである。三浦氏は『銃口』において、多喜二が亡くなってから数年後に起こった、特高警察による「北海道綴方（つづりかた）教育連盟」の良心的な教師たちへの弾圧を取り上げて書いているが、その『銃口』の中でも多喜二の拷問による死についてふれている。

セキは一九六一年（昭和三十六）五月十日、心臓発作のために急逝し、小樽シオン教会で近藤治義牧師によって葬儀が執行された。小樽の党の者に勧められて共産党に入党したセキではあったが、長女のチマが行っていた教会の牧師や教会員とも親交し、生前、葬儀は教会で行なってくれるように近藤牧師に強く頼んでいた。またセキは、牧師から讃美歌四〇四番「山路越えて」を教えられて、たえず口ずさみ、紙に書いて壁に貼（は）ってもいた。

そのようにセキがキリスト教にひかれたのは、近藤牧師の優しさと良き導きによるものではあったが、セキの胸を強く打ったのは、キリストの十字架上の痛ましい死を描いた絵を

見て、キリストの死に多喜二の死を重ね合わせて考えた時であった。ある日、セキはその絵を近藤牧師から見せてもらったのである。そしてセキは、他人の罪を引き受けて十字架上でむごたらしく殺されたイエスの姿に涙し、神の子イエスの死の意味を理解しようとしたのである。

多喜二の拷問による死を、キリストの死と重ね合わせたセキの思いは、三浦氏自身の思いでもある。そして、セキがキリストを慕(した)って心の安らぎを得、しかも亡くなる五時間ほど前に、近藤牧師が偶然、セキを訪ねていること(「あとがき」)に、三浦氏は「神の御旨の深さ」を思ったのである。

三浦氏はキリスト者の作家として、キリスト教に関わったセキの心中に共感と感動の熱い目を注ぎ、セキと多喜二の人間像をユニークな視点から鮮やかに書き込んだのである。と同時に、三浦氏は、多喜二を虐殺したような暗黒の時代と社会を再びもたらしてはならないという祈りをこめて、この作品を書き上げたのである。

私は、三浦氏のその祈りを、読者の方々が文中から深く汲み取ってくださることを願うのである。

本書は平成四年三月、小社より単行本で刊行されました。

母

三浦綾子

角川文庫　10038

平成八年六月二十五日　初版発行
平成九年六月　十　日　再版発行

発行者——角川歴彦
発行所——株式会社角川書店
東京都千代田区富士見二—十三—三
電話　編集部(〇三)三二三八—八四五一
　　　営業部(〇三)三二三八—八五二一
〒一〇二　振替〇〇一三〇—九—一九五二〇八

印刷所——暁印刷　製本所——多摩文庫
装幀者——杉浦康平

落丁・乱丁本はご面倒でも小社角川ブック・サービス宛にお送りください。送料は小社負担でお取り替えいたします。

定価はカバーに明記してあります。

み 5-17　　ISBN4-04-143717-2　C0193

角川文庫発刊に際して

角川源義

第二次世界大戦の敗北は、軍事力の敗北であった以上に、私たちの若い文化力の敗退であった。私たちの文化が戦争に対して如何に無力であり、単なるあだ花に過ぎなかったかを、私たちは身を以て体験し痛感した。西洋近代文化の摂取にとって、明治以後八十年の歳月は決して短かすぎたとは言えない。にもかかわらず、近代文化の伝統を確立し、自由な批判と柔軟な良識に富む文化層として自らを形成することに私たちは失敗して来た。そしてこれは、各層への文化の普及滲透を任務とする出版人の責任でもあった。

一九四五年以来、私たちは再び振出しに戻り、第一歩から踏み出すことを余儀なくされた。これは大きな不幸ではあるが、反面、これまでの混沌・未熟・歪曲の中にあった我が国の文化に秩序と確たる基礎を齎らすためには絶好の機会でもある。角川書店は、このような祖国の文化的危機にあたり、微力をも顧みず再建の礎石たるべき抱負と決意とをもって出発したが、ここに創立以来の念願を果すべく角川文庫を発刊する。これまで刊行されたあらゆる全集叢書文庫類の長所と短所とを検討し、古今東西の不朽の典籍を、良心的編集のもとに、廉価に、そして書架にふさわしい美本として、多くのひとびとに提供しようとする。しかし私たちは徒らに百科全書的な知識のジレッタントを作ることを目的とせず、あくまで祖国の文化に秩序と再建への道を示し、この文庫を角川書店の栄ある事業として、今後永久に継続発展せしめ、学芸と教養との殿堂として大成せんことを期したい。多くの読書子の愛情ある忠言と支持とによって、この希望と抱負とを完遂せしめられんことを願う。

一九四九年五月三日

角川文庫ベストセラー

京都・浜名湖殺人事件　山村美紗

浜名湖畔に美人レポーターの死体が…。沢木麻沙子の推理が冴える。

[illegible]殺人の季節　西村京太郎

謎を残す二年前の交通事故。十津川警部、追跡の果てには!?

[illegible]霧のなかで　内田康夫

四人の女性が避暑地で体験する危険なロマネスク・ミステリー。

[illegible]薇(ら)色の殺人　吉村達也

薔薇に傷つけられた死者の右手の真相は？「三色の悲劇」第一弾！

[illegible]檬(ん)色の密室　吉村達也

密室に転がった百個の檸檬と死体の関係は？「三色の悲劇」第二弾！

妖しき瑠璃(るり)色の魔術　吉村達也

最終頁に秘められた衝撃の真相！「三色の悲劇」シリーズ最終作。